Warum lesen wir heute, 160 Jahre nach seinem Tod, immer noch in Goethes Werken? Warum kehren wir immer wieder zu ihm zurück? Sicher, wir können seine Erkenntnisse und Erfahrungen zu unserer eigenen Legitimation und auch Lösung unserer alltäglichen Probleme gebrauchen. Unsere Zeit ist gegenwärtig bestimmt durch ein Innehalten, ein Nachdenken, durch das Nachdenken über Gerechtigkeit, über Wohlstand und Armut, über Arbeit und Arbeitslosigkeit, über Ausländer und Ausländerfeindlichkeit. »Gegen große Vorzüge eines anderen«, so die Summe von Goethes Einsichten über das Ausländische, das Fremde, das Andere, »gibt es kein Rettungsmittel als die Liebe.« Goethe hat sein Leben als Lebenskunstwerk gelebt, hat Großes geleistet. »Das wahre Große«, schrieb er in den ›Wanderjahren‹, »hebt uns über uns selbst hinaus und leuchtet uns vor wie ein Stern.« »Über uns selbst hinaus« –, aber, so Siegfried Unseld, zuallererst führt er uns zu uns selbst hin.

insel taschenbuch 1425

Goethe, unser Zeitgenosse

GOETHE, UNSER ZEITGENOSSE

Über Fremdes und Eigenes

Herausgegeben von Siegfried Unseld

Insel Verlag

insel taschenbuch 1425
Erste Auflage 1995
Insel Verlag Frankfurt am Main und Leipzig

Textnachweise am Schluß des Bandes
Vertrieb durch den Suhrkamp Taschenbuch Verlag
Umschlag nach Entwürfen von Willy Fleckhaus
Satz: Fotosatz Otto Gutfreund GmbH, Darmstadt
Druck: Nomos Verlagsgesellschaft, Baden-Baden
Printed in Germany

1 2 3 4 5 6 - 00 99 98 97 96 95

Den Gruß des Unbekannten ehre ja!
Er sei dir wert als alten Freundes Gruß.
Nach wenig Worten sagt ihr Lebewohl!
Zum Osten du, er westwärts, Pfad an Pfad –
Kreuzt euer Weg nach vielen Jahren drauf
Sich unerwartet, ruft ihr freudig aus:
Er ist es! ja! da wars! als hätte nicht
So manche Tagefahrt zu Land und See,
So manche Sonnenkehr sich drein gelegt.
Nun tauschet War um Ware, teilt Gewinn!
Ein alt Vertrauen wirke neuen Bund –
Der erste Gruß ist viele tausend wert,
Drum grüße freundlich jeden der begrüßt.

(West-östlicher Divan)

FREMDES – EIGENES

Und wir giengen auseinander, ohne einander verstanden zu haben. Wie denn auf dieser Welt keiner leicht den andern versteht. (Die Leiden des jungen Werther, 1. Buch)

Alle gleichen wir uns denn wir sind Eines Geschlechtes;
Allen gleichen wir nicht sagt einem jeden das Herz.
(In ein Stammbuch, Weimar 1. Januar 1785)

Man weiss erst dass man ist wenn man sich in andern wiederfindet. (An Auguste Gräfin zu Stolberg, 13. Februar 1775)

Es ist gut, daß der Mensch, der erst in die Welt tritt, viel von sich halte, daß er sich viele Vorzüge zu erwerben denke, daß er alles möglich zu machen suche; aber wenn seine Bildung auf einem gewissen Grade steht, dann ist es vorteilhaft, wenn er sich in einer größeren Masse verlieren lernt, wenn er lernt um anderer willen zu leben, und seiner selbst in einer pflichtmäßigen Tätigkeit zu vergessen. Da lernt er erst sich selbst kennen, denn das Handeln eigentlich vergleicht uns mit andern. (Wilhelm Meisters Lehrjahre VII 9)

Das Höchste, wozu der Mensch gelangen kann, ist das Bewußtsein eigner Gesinnungen und Gedanken, das Erkennen seiner selbst, welches ihm die Einleitung gibt, auch fremde Gemütsarten innig zu erkennen. Nun gibt es Menschen, die mit einer natürlichen Anlage hiezu geboren sind und solche durch Erfahrung zu praktischen Zwecken ausbilden. Hieraus entsteht die Fähigkeit, der Welt und den Geschäften im höheren Sinn etwas abzugewinnen. Mit jener Anlage nun wird auch der Dichter geboren, nur daß er sie nicht zu unmittelbaren irdischen Zwecken, sondern zu einem höhern, geistigen, allgemeinen Zweck ausbildet.

(Shakespeare und kein Ende!)

Gegen große Vorzüge eines Andern gibt es kein Rettungsmittel als die Liebe. (Wahlverwandtschaften)

Reitest du bei e'nem Schmied vorbei,
Weißt nicht wann er dein Pferd beschlägt;
Siehst du eine Hütte im Felde frei,
Weißt nicht ob sie dir ein Liebchen hegt;
Einem Jüngling begegnest du schön und kühn,
Er überwindet dich künftig oder du ihn.
Am sichersten kannst du vom Rebstock sagen
Er werde für dich was Gutes tragen.
So bist du denn der Welt empfohlen,
Das übrige will ich nicht wiederholen.

(West-östlicher Divan)

FREMDHEIT
UND NEIGUNG

Was ich in meinem Haus' ertrag,
Das sieht ein Fremder am ersten Tag;
Doch ändert er sich's nicht zu Liebe,
Und wenn er hundert Jahre bliebe.

(Zahme Xenien IV)

⟨...⟩ ein scharfsichtiger Fremder, der in ein Haus tritt, bemerkt oft gleich, was der Hausherr aus Nachsicht, Gewohnheit oder Gutmütigkeit übersieht oder ignoriert.

(An Karl Friedrich von Reinhard, Karlsbad 22. Juni 1808)

Wir lernen die Menschen nicht kennen, wenn sie zu uns kommen; wir müssen zu ihnen gehen, um zu erfahren, wie es mit ihnen steht.

Ich finde es beinahe natürlich, daß wir an Besuchenden mancherlei auszusetzen haben, daß wir sogleich, wenn sie weg sind, über sie nicht zum liebevollsten urteilen; denn wir haben so zu sagen ein Recht, sie nach unserm Maßstab zu messen. Selbst verständige und billige Menschen enthalten sich in solchen Fällen kaum einer scharfen Zensur.

Wenn man dagegen bei andern gewesen ist und hat sie mit ihren Umgebungen, Gewohnheiten, in ihren notwendigen unausweichlichen Zuständen gesehen, wie sie um sich wirken oder wie sie sich fügen, so gehört schon Unverstand und böser Wille dazu, um das lächerlich zu finden, was uns in mehr als einem Sinne ehrwürdig scheinen müßte.

(Maximen und Reflexionen)

Man wird sich dessen, was man hat oder nicht hat, ist oder nicht ist, erst am Gegenteile von diesem bewußt oder inne.

Darum werden so viele Menschen durch die Erscheinung eines neuen, fremden Menschen in der Gesellschaft beunruhigt. Er entdeckt ihnen, was sie nicht haben, und dann hassen sie ihn, oder er entdeckt ihnen durch sein Gegenteil, was sie haben, und so verachten sie ihn wieder. Ist er besonders höflich und galant, so ist er den Groben zuwider; ist er grob, so ist er den Höflichen und im Grunde allen zuwider; und so durch alles durch. (Zu Friedrich Wilhelm Riemer, 19. März 1807)

DER WANDRER

Wandrer

Gott segne dich junge Frau,
Und den säugenden Knaben
An deiner Brust!
Laß mich, an der Felsenwand hier
In des Ulmbaums Schatten
Meine Bürde werfen,
Neben dir ausruhn.

Frau

Welch Gewerbe treibt dich
Durch des Tages Hitze
Den sandigen Pfad her?
Bringst du Waren aus der Stadt
Im Land herum?
Lächelst Fremdling
Über meine Frage?

Wandrer

Ich bringe keine Waren
Aus der Stadt.
Schwül ist schwer der Abend
Zeige mir den Brunnen
Draus du trinkest
Liebes junges Weib.

Frau

Hier den Felsenpfad hinauf!
Geh voran! Durchs Gebüsche
Geht der Pfad nach der Hütte
Drin ich wohne
Zu dem Brunnen
Da ich trinke draus.

Wandrer

Spuren ordnender Menschenhand
Zwischen dem Gesträuch –!
Diese Steine hast du nicht gefügt
Reich hinstreuende Natur

Frau

Weiter 'nauf.

Wandrer

Von dem Moos gedeckt ein Architrav!
Ich erkenne dich. Bildender Geist,
Hast dein Siegel in den Stein geprägt.

Frau

Weiter Fremdling

Wandrer

Eine Inschrift, über die ich trete!
Der Venus – und ihr übrigen
Seid verloschen,
Weggewandelt, ihr Gesellen,
Die ihr eures Meisters Andacht
Tausend Enkeln zeugen solltet.

Frau

Staunest Fremdling
Diese Stein an?
Droben sind der Steine viel
Um meine Hütte.

Wandrer

Droben?

Frau

Gleich zur Linken
Durchs Gebüsch hinan!
Hier!

Wandrer

Ihr Musen und Grazien.

Frau

Das ist meine Hütte!

Wandrer

Eines Tempels Trümmern!

Frau

Da zur Seit hinab
Quillt der Brunnen
Da ich trinke draus.

Wandrer

Glühend webst du über deinem Grabe
Genius! Über dir
Ist zusammengestürzt
Dein Meisterstück
O du unsterblicher.

Frau

Wart! ich will ein
Schöpfgefäß dir holen.

Wandrer

Efeu hat deine schlanke
Götterbildung umkleidet!
Wie du emporstrebst
Aus dem Schutte
Säulenpaar!
Und du einsame Schwester dort
Wie ihr,
Düstres Moos auf dem heiligen Haupt,
Majestätisch traurend herabschaut
Auf die zertrümmerten
Zu euren Füßen

Eure Geschwister!
In des Brombeergesträuches Schatten
Deckt sie Schutt und Erde;
Und hohes Gras wankt drüber hin
Schätzest du so Natur
Deines Meisterstücks Meisterstück?
Unempfindlich zertrümmerst
Du dein Heiligtum
Säst Disteln drein.

Frau

Wie der Knabe schläft!
Willst du in der Hütte ruhn
Fremdling willst du hier
Untern Pappelbaum dich setzen?
Hier ist's kühl! Nimm den Knaben,
Daß ich Wasser schöpfen hinabgeh.
Schlaf Lieber schlaf.

Wandrer

Süß ist deine Ruh.
Wie's in himmlischer Gesundheit schwimmend
Ruhig atmet!
Du, geboren über Resten
Heiliger Vergangenheit
Ruh ihr Geist auf dir!
Welchen der umschwebt
Wird in Götter Selbstgefühl
Jedes Tags genießen.
Voller Keim blüh auf
Lieblich dämmernden Lenzes Schmuck

Scheinend vor deinen Gesellen!
Und welkt die Blütenhülle weg
Dann steig aus deinem Busen
Die volle Frucht, und reif der Sonn entgegen.

Frau

Gesegn' es Gott! – Und schläft er noch?
Ich habe nichts zum frischen Trunk
Als ein Stück Brot
Das ich dir bieten kann.

Wandrer

Ich danke dir.
Wie herrlich alles blüht umher
Und grünt.

Frau

Mein Mann wird bald
Nach Hause sein
Vom Feld; bleib Mann
Und iß mit uns
Das Abendbrot.

Wandrer

Ihr wohnet hier?

Frau

Hier zwischen das Gemäuer her
Die Hütte baute noch mein Vater
Aus Ziegeln und des Schuttes Steinen.
Hier wohnen wir.

Er gab mich einem Ackersmann
Und starb in unsern Armen.
Hast du geschlafen liebes Herz?
Wie er munter ist und spielen will!
Du Schelm.

Wandrer

Natur du ewig keimende
Schaffst jeden zum Genuß des Lebens
Deine Kinder all
Hast mütterlich mit einem
Erbteil ausgestattet
Einer Hütte.
Hoch baut die Schwalb an Architrav
Unfühlend welchen Zierrat
Sie verklebt,
Die Raup' umspinnt den goldnen Zweig
Zum Winterhaus für ihre Brut;
Und du flickst zwischen der Vergangenheit
Erhabne Trümmer
Für dein Bedürfnis
Eine Hütt', o Mensch
Genießest über Gräbern.
Leb wohl du glücklich Weib!

Frau

Du willst nicht bleiben!

Wandrer

Gott erhalt euch
Segn' euren Knaben!

Frau

Glück auf den Weg

Wandrer

Wohin führt mich der Weg
Dort übern Berg

Frau

Nach Cuma.

Wandrer

Wie weit ists hin?

Frau

Drei Meilen gut.

Wandrer

Leb wohl!
O leite meinen Gang
Natur; den Fremdlingsreisetritt
Den über Gräber
Heiliger Vergangenheit
Ich wandle;
Leit ihn zum Schutzort,
Vorm Nord geschützet
Wo dem Mittagsstrahl
Ein Pappelwäldgen wehrt.
Und kehr ich dann
Am Abend heim
Zur Hütte vergoldet
Vom letzten Sonnenstrahl,

Laß mich empfangen solch ein Weib
Den Knaben auf dem Arm

(1772/73)

Sei mir gegrüßt, der hier in später Nacht
Gedankenvoll an dieser Schwelle wacht!
Was sitzest du entfernt von jenen Freuden?
Du scheinst mir auf was Wichtiges bedacht.
Was ist's, daß du in Sinnen dich verlierest,
Und nicht einmal dein kleines Feuer schürest?

»O frage nicht! denn ich bin nicht bereit,
Des Fremden Neugier leicht zu stillen;
Sogar verbitt' ich deinen guten Willen;
Hier ist zu schweigen und zu leiden Zeit.
Ich bin dir nicht im Stande selbst zu sagen,
Woher ich sei, wer mich hierher gesandt;
Von fremden Zonen bin ich her verschlagen
Und durch die Freundschaft festgebannt.

Wer kennt sich selbst? wer weiß was er vermag?
Hat nie der Mutige Verwegnes unternommen?
Und was du tust, sagt erst der andre Tag,
War es zum Schaden oder Frommen.
Ließ nicht Prometheus selbst die reine Himmelsglut
Auf frischen Ton vergötternd niederfließen?
Und konnt' er mehr als irdisch Blut
Durch die belebten Adern gießen?
Ich brachte reines Feuer vom Altar;
Was ich entzündet, ist nicht reine Flamme.

Der Sturm vermehrt die Glut und die Gefahr,
Ich schwanke nicht, indem ich mich verdamme.
Und wenn ich unklug Mut und Freiheit sang
Und Redlichkeit und Freiheit sonder Zwang,
Stolz auf sich selbst und herzliches Behagen,
Erwarb ich mir der Menschen schöne Gunst:
Doch ach! ein Gott versagte mir die Kunst,
Die arme Kunst, mich künstlich zu betragen.
Nun sitz' ich hier zugleich erhoben und gedrückt,
Unschuldig und gestraft, und schuldig und beglückt.«

(Aus: Ilmenau 1783; Verse 86-119)

Aber als der geistliche Herr den goldenen Reif nun
Steckt' an die Hand des Mädchens, erblickt' er den anderen staunend,
Den schon Hermann zuvor am Brunnen sorglich betrachtet.
Und er sagte darauf mit freundlich scherzenden Worten:
»Wie! du verlobest dich schon zum zweitenmal? Daß nicht der erste
Bräutigam bei dem Altar sich zeige mit hinderndem Einspruch!«

Aber sie sagte darauf: »O, laßt mich dieser Erinnrung
Einen Augenblick weihen! Denn wohl verdient sie der Gute,
Der mir ihn scheidend gab und nicht zur Heimat zurückkam.
Alles sah er voraus, als rasch die Liebe der Freiheit,
Als ihn die Lust, im neuen, veränderten Wesen zu wirken,
Trieb, nach Paris zu gehn, dahin, wo er Kerker und Tod fand.
›Lebe glücklich‹, sagt' er. ›Ich gehe; denn alles bewegt sich
Jetzt auf Erden einmal, es scheint sich alles zu trennen.
Grundgesetze lösen sich auf der festesten Staaten,
Und es löst der Besitz sich los vom alten Besitzer,
Freund sich los von Freund: so löst sich Liebe von Liebe.
Ich verlasse dich hier, und wo ich jemals dich wieder
Finde – wer weiß es? Vielleicht sind diese Gespräche die letzten.
Nur ein Fremdling, sagt man mit Recht, ist der Mensch hier auf Erden;
Mehr ein Fremdling als jemals ist nun ein jeder geworden.
Uns gehört der Boden nicht mehr; es wandern die Schätze;
Gold und Silber schmilzt aus den alten heiligen Formen;

Alles regt sich, als wollte die Welt, die gestaltete, rückwärts
Lösen in Chaos und Nacht sich auf und neu sich gestalten.
Du bewahrst mir dein Herz; und finden dereinst wir uns wieder
Über den Trümmern der Welt, so sind wir erneute Geschöpfe,
Umgebildet und frei und unabhängig vom Schicksal:
Denn was fesselte den, der solche Tage durchlebt hat!
Aber soll es nicht sein, daß je wir, aus diesen Gefahren
Glücklich entronnen, uns einst mit Freuden wieder umfangen,
O, so erhalte mein schwebendes Bild vor deinen Gedanken,
Daß du mit gleichem Mute zu Glück und Unglück bereit seist!
Locket neue Wohnung dich an und neue Verbindung,
So genieße mit Dank, was dann dir das Schicksal bereitet!
Liebe die Liebenden rein und halte dem Guten dich dankbar!
Aber dann auch setze nur leicht den beweglichen Fuß auf;
Denn es lauert der doppelte Schmerz des neuen Verlustes.
Heilig sei dir der Tag; doch schätze das Leben nicht höher
Als ein anderes Gut, und alle Güter sind trüglich.‹
Also sprach er; und nie erschien der Edle mir wieder.
Alles verlor ich indes, und tausendmal dacht' ich der Warnung.
Nun auch denk' ich des Worts, da schön mir die Liebe das Glück hier
Neu bereitet und mir die herrlichsten Hoffnungen aufschließt.
O verzeih, mein trefflicher Freund, daß ich, selbst an dem Arm dich
Haltend, bebe! So scheint dem endlich gelandeten Schiffer
Auch der sicherste Grund des festen Bodens zu schwanken.«

Also sprach sie und steckte die Ringe nebeneinander.

(Hermann und Dorothea, 9. Gesang, Verse 250-297)

Nachstehende fünf Stanzen sind schon im zweiten Heft der Morphologie abgedruckt, allein sie verdienen wohl, einem größeren Publikum bekannt zu werden; auch haben Freunde gewünscht, daß zum Verständnis derselben einiges geschähe, damit dasjenige, was sich hier fast nur ahnen läßt, auch einem klaren Sinne gemäß und einer reinen Erkenntnis übergeben sei.

Was nun von älteren und neueren orphischen Lehren überliefert worden, hat man hier zusammenzudrängen, poetisch-kompendios, lakonisch vorzutragen gesucht. Diese wenigen Strophen enthalten viel Bedeutendes in einer Folge, die, wenn man sie erst kennt, dem Geiste die wichtigsten Betrachtungen erleichtert.

Δαίμων, Dämon

Wie an dem Tag, der dich der Welt verliehen,
Die Sonne stand zum Gruße der Planeten,
Bist alsobald und fort und fort gediehen
Nach dem Gesetz wonach du angetreten.
So mußt du sein, dir kannst du nicht entfliehen,
So sagten schon Sibyllen, so Propheten;
Und keine Zeit und keine Macht zerstückelt
Geprägte Form, die lebend sich entwickelt.

Der Bezug der Überschrift auf die Strophe selbst bedarf einer Erläuterung. Der Dämon bedeutet hier die notwendige, bei der Geburt unmittelbar ausgesprochene, begrenzte Individualität der Person, das Charakteristische, wodurch sich der einzelne von jedem andern bei noch so großer Ähnlichkeit unterscheidet. Diese Bestimmung schrieb man dem einwirkenden Gestirn zu, und es ließen sich die unendlich mannigfaltigen Bewegungen und Beziehungen der Himmelskörper unter sich selbst und zu der Erde gar schicklich mit den mannigfaltigen Abwechselungen der Geburten in Bezug stellen. Hiervon sollte nun auch das künftige Schicksal des Menschen ausgehen, und man möchte, jenes erste zugebend, gar wohl gestehen, daß angeborne Kraft und Eigenheit mehr als alles übrige des Menschen Schicksal bestimme.

Deshalb spricht diese Strophe die Unveränderlichkeit des Individuums mit wiederholter Beteuerung aus. Das noch so entschieden Einzelne kann als ein Endliches gar wohl zerstört, aber, solange sein Kern zusammenhält, nicht zersplittert noch zerstückelt werden, sogar durch Generationen hindurch.

Dieses feste, zähe, dieses nur aus sich selbst zu entwickelnde Wesen kommt freilich in mancherlei Beziehungen, wodurch sein erster und ursprünglicher Charakter in seinen Wirkungen gehemmt, in seinen Neigungen gehindert wird, und was hier nun eintritt, nennt unsere Philosophie

Τύχη, das Zufällige

Die strenge Grenze doch umgeht gefällig
Ein Wandelndes, das mit und um uns wandelt;
Nicht einsam bleibst du, bildest dich gesellig,
Und handelst wohl so wie ein andrer handelt;
Im Leben ists bald hin-, bald widerfällig,

Es ist ein Tand und wird so durchgetandelt.
Schon hat sich still der Jahre Kreis geründet,
Die Lampe harrt der Flamme, die entzündet.

Zufällig ist es jedoch nicht, daß einer aus dieser oder jener Nation, Stamm oder Familie sein Herkommen ableite: denn die auf der Erde verbreiteten Nationen sind so wie ihre mannigfaltigen Verzweigungen als Individuen anzusehen, und die Tyche kann nur bei Vermischung und Durchkreuzung eingreifen. Wir sehen das wichtige Beispiel von hartnäckiger Persönlichkeit solcher Stämme an der Judenschaft; europäische Nationen, in andere Weltteile versetzt, legen ihren Charakter nicht ab, und nach mehreren hundert Jahren wird in Nordamerika der Engländer, der Franzose, der Deutsche gar wohl zu erkennen sein; zugleich aber auch werden sich bei Durchkreuzungen die Wirkungen der Tyche bemerklich machen, wie der Mestize an einer klarern Hautfarbe zu erkennen ist. Bei der Erziehung, wenn sie nicht öffentlich und nationell ist, behauptet Tyche ihre wandelbaren Rechte. Säugamme und Wärterin, Vater oder Vormund, Lehrer oder Aufseher, so wie alle die ersten Umgebungen an Gespielen, ländlicher oder städtischer Lokalität, alles bedingt die Eigentümlichkeit durch frühere Entwickelung, durch Zurückdrängen oder Beschleunigen; der Dämon freilich hält sich durch alles durch, und dieses ist denn die eigentliche Natur, der alte Adam und wie man es nennen mag, der, so oft auch ausgetrieben, immer wieder unbezwinglicher zurückkehrt.

In diesem Sinne einer notwendig aufgestellten Individualität hat man einem jeden Menschen seinen Dämon zugeschrieben, der ihm gelegentlich ins Ohr raunt, was denn eigentlich zu tun sei, und so wählte Sokrates den Giftbecher, weil ihm ziemte zu sterben.

Allein Tyche läßt nich nach und wirkt besonders auf die Jugend immerfort, die sich mit ihren Neigungen, Spielen, Geselligkeiten und flüchtigem Wesen bald da-, bald dorthin wirft und nirgends Halt noch Befriedigung findet. Da entsteht denn mit dem wachsenden Tage eine ernstere Unruhe, eine gründlichere Sehnsucht; die Ankunft eines neuen Göttlichen wird erwartet.

Ἔρως, Liebe

Die bleibt nicht aus! – Er stürzt vom Himmel nieder,
Wohin er sich aus alter Öde schwang,
Er schwebt heran auf luftigem Gefieder
Um Stirn und Brust den Frühlingstag entlang,
Scheint jetzt zu fliehn, vom Fliehen kehrt er wieder;
Da wird ein Wohl im Weh, so süß und bang.
Gar manches Herz verschwebt im Allgemeinen,
Doch widmet sich das edelste dem Einen.

Hierunter ist alles begriffen, was man von der leisesten Neigung bis zur leidenschaftlichen Raserei nur denken möchte; hier verbinden sich der individuelle Dämon und die verführende Tyche mit einander; der Mensch scheint nur sich zu gehorchen, sein eigenes Wollen walten zu lassen, seinem Triebe zu frönen, und doch sind es Zufälligkeiten, die sich unterschieben, Fremdartiges, was ihn von seinem Wege ablenkt; er glaubt zu erhaschen und wird gefangen, er glaubt gewonnen zu haben und ist schon verloren. Auch hier treibt Tyche wieder ihr Spiel, sie lockt den Verirrten zu neuen Labyrinthen, hier ist keine Grenze des Irrens: denn der Weg ist ein Irrtum. Nun kommen wir in Gefahr, uns in der Betrachtung zu verlieren, daß das, was auf das Besonderste angelegt schien, ins Allgemeine verschwebt und verfließt. Daher will das rasche Eintreten der zwei letzten Zeilen uns einen entscheidenden Wink geben, wie man allein diesem Irrsal entkommen und davor lebenslängliche Sicherheit gewinnen möge.

Denn nun zeigt sich erst, wessen der Dämon fähig sei; er, der unselbständige, selbstsüchtige, der mit unbedingtem Wollen in die Welt griff und nur mit Verdruß empfand, wenn Tyche da oder dort in den Weg trat, er fühlt nun, daß er nicht allein durch Natur bestimmt und gestempelt sei; jetzt wird er in seinem Innern gewahr, daß er sich selbst bestimmen könne, daß er den durchs Geschick ihm zugeführten Gegenstand nicht nur gewaltsam ergreifen, sondern auch sich aneignen und, was noch mehr ist, ein zweites Wesen eben wie sich selbst mit ewiger unzerstörlicher Neigung umfassen könne.

Kaum war dieser Schritt getan, so ist durch freien Entschluß die Freiheit aufgegeben; zwei Seelen sollen sich in Einen Leib, zwei Leiber in Eine Seele schicken, und indem eine solche Übereinkunft sich einleitet, so tritt zu wechselseitiger liebevoller Nötigung noch eine dritte hinzu: Eltern und Kinder müssen sich abermals zu einem Ganzen bilden, groß ist die gemeinsame Zufriedenheit, aber größer das Bedürfnis. Der aus so viel Gliedern bestehende Körper krankt gemäß dem irdischen Geschick an irgendeinem Teile, und anstatt daß er sich im Ganzen freuen sollte, leidet er am einzelnen, und dessen ungeachtet wird ein solches Verhältnis so wünschenswert als notwendig gefunden. Der Vorteil zieht einen jeden an, und man läßt sich gefallen, die Nachteile zu übernehmen. Familie reiht sich an Familie, Stamm an Stamm, eine Völkerschaft hat sich zusammengefunden und wird gewahr, daß auch dem Ganzen fromme, was der einzelne beschloß, sie macht den Beschluß unwiderruflich durchs Gesetz; alles, was liebevolle Neigung freiwillig gewährte, wird nun Pflicht, welche tausend Pflichten entwickelt, und damit alles ja für Zeit und Ewigkeit abgeschlossen sei, läßt weder Staat noch Kirche noch Herkommen es an Zeremonien fehlen. Alle Teile sehen sich durch die bündigsten Kontrakte, durch die möglichsten Öffentlichkeiten vor, daß ja das Ganze in keinem kleinsten Teil durch Wankelmut und Willkür gefährdet werde.

Ἀνάγκη, Nötigung

Da ists denn wieder wie die Sterne wollten:
Bedingung und Gesetz und aller Wille
Ist nur ein Wollen, weil wir eben sollten,
Und vor dem Willen schweigt die Willkür stille;
Das Liebste wird vom Herzen weggescholten,
Dem harten Muß bequemt sich Will und Grille.
So sind wir scheinfrei denn nach manchen Jahren
Nur enger dran als wir am Anfang waren.

Keine Anmerkungen bedarf wohl diese Strophe weiter; niemand ist, dem nicht Erfahrung genugsame Noten zu einem solchen Texte darreichte, niemand, der sich nicht peinlich gezwängt fühlte, wenn er nur erinnerungsweise sich solche Zustände hervorruft, gar mancher, der verzweifeln möchte, wenn ihn die Gegenwart also gefangen hält. Wie froh eilen wir daher zu den letzten Zeilen, zu denen jedes feine Gemüt sich gern den Kommentar sittlich und religios zu bilden übernehmen wird.

'Ελπίς, Hoffnung

Doch solcher Grenze, solcher ehrnen Mauer
Höchst widerwärtge Pforte wird entriegelt,
Sie stehe nur mit alter Felsendauer!
Ein Wesen regt sich leicht und ungezügelt.
Aus Wolkendecke, Nebel, Regenschauer
Erhebt sie uns, mit ihr, durch sie beflügelt,
Ihr kennt sie wohl, sie schwärmt nach allen Zonen;
Ein Flügelschlag! – und hinter uns Äonen!

(1817/1820)

SELIGE SEHNSUCHT

Sagt es niemand, nur den Weisen,
Weil die Menge gleich verhöhnet,
Das Lebendge will ich preisen
Das nach Flammentod sich sehnet.

In der Liebesnächte Kühlung,
Die dich zeugte, wo du zeugtest,
Überfällt dich fremde Fühlung
Wenn die stille Kerze leuchtet.

Nicht mehr bleibest du umfangen
In der Finsternis Beschattung,
Und dich reißet neu Verlangen
Auf zu höherer Begattung.

Keine Ferne macht dich schwierig,
Kommst geflogen und gebannt,
Und zuletzt, des Lichts begierig,
Bist du Schmetterling verbrannt.

Und so lang du das nicht hast,
Dieses: Stirb und werde!
Bist du nur ein trüber Gast
Auf der dunklen Erde.

(West-östlicher Divan)

REISEN

Wer das Dichten will verstehen
Muß ins Land der Dichtung gehen;
Wer den Dichter will verstehen
Muß in Dichters Lande gehen.

(West-östlicher Divan)

⟨...⟩ denn wer einmal fremde Literaturen genießen, sich von der bewohnten Welt einen Begriff machen, über Nationen, ihren Ursprung und ihre Verhältnisse denken will, der tut wohl, manche Länder zu bereisen, um sich ein Anschauen zu verschaffen, das durch keine Lektur erregt werden kann.

(An Wilhelm von Humboldt, 26. Mai 1799)

Ferner erzählte er ⟨der Vater⟩ mir, daß ich nach Wetzlar und Regensburg, nicht weniger nach Wien und von da nach Italien gehen sollte; ob er gleich wiederholt behauptete, man müsse Paris voraus sehen, weil man aus Italien kommend sich an nichts mehr ergetze.

Dieses Märchen meines künftigen Jugendganges ließ ich mir gern wiederholen, besonders da es in eine Erzählung von Italien und zuletzt in eine Beschreibung von Neapel auslief. Sein sonstiger Ernst und Trockenheit schien sich jederzeit aufzulösen und zu beleben, und so erzeugte sich in uns Kindern der leidenschaftliche Wunsch, auch dieser Paradiese teilhaft zu werden.

(Dichtung und Wahrheit I 1)

In einer Stadt wie Frankfurt befindet man sich in einer wunderlichen Lage; immer sich kreuzende Fremde deuten nach allen Weltgegenden hin und erwecken Reiselust.

(Dichtung und Wahrheit IV 18)

Hatte man in einer solchen patriotischen Beschränkung kaum ein halbes Jahr hingebracht, so traten schon die Messen wieder ein, welche in den sämtlichen Kinderköpfen jederzeit eine unglaubliche Gärung hervorbrachten. ⟨...⟩ Zugleich aber bildete sich die Vorstellung von dem was die Welt alles hervorbringt, was sie bedarf, und was die Bewohner ihrer verschiedenen Teile gegen einander auswechseln.

(Dichtung und Wahrheit I 1)

Als ich in Leipzig ankam war es gerade Meßzeit, woraus mir ein besonderes Vergnügen entsprang: denn ich sah hier die Fortsetzung eines vaterländischen Zustandes vor mir, bekannte Waren und Verkäufer, nur an anderen Plätzen und in einer anderen Folge. Ich durchstrich den Markt und die Buden mit vielem Anteil; besonders aber zogen meine Aufmerksamkeit an sich, in ihren seltsamen Kleidern, jene Bewohner der östlichen Gegenden, die Polen und Russen, vor allen aber die Griechen, deren ansehnlichen Gestalten und würdigen Kleidungen ich gar oft zu Gefallen ging.

(Dichtung und Wahrheit II 6)

Ich habe dir viel zu erzählen, es wird mir gut tun fremde Luft einzuatmen und mein Verhältnis von weitem zu betrachten. Die Existenzen fremder Menschen sind die besten Spiegel worin wir die unsrige erkennen können.

(An Charlotte von Stein, 9. September 1783)

Ich kann dir nicht sagen was ich schon die kurze Zeit an Menschlichkeit gewonnen habe. Wie ich aber auch fühle was wir in den kleinen Souveränen Staaten für elende einsame Menschen sein müssen weil man, und besonders in meiner Lage, fast mit niemand reden darf, der nicht was wollte und mögte. Den Wert der Geselligkeit hab ich nie so sehr gefühlt und die Freude die meinigen wieder zu sehn, in der Entfernung, nie so lebhaft.

⟨...⟩ Hier will ich eine Bemerkung hersetzen, über den Punkt, in dem so manche Reisende fehlen, in dem ich auch sonst gefehlt habe.

Jeder denkt doch eigentlich für sein Geld auf der Reise zu *genießen*. Er erwartet alle die Gegenstände von denen er so vieles hat reden hören, nicht zu finden, wie der Himmel und die Umstände wollen, sondern so rein wie sie in seiner Imagination stehen und fast nichts findet er so, fast nichts kann er so genießen. Hier ist was zerstört, hier was angekleckt, hier stinkts, hier rauchts, hier ist Schmutz pp so in den Wirtshäusern, mit den Menschen pp.

Der Genuß auf einer Reise ist wenn man ihn rein haben will, ein abstrakter Genuß, ich muß die Unbequemlichkeiten, Widerwärtigkeiten, das was mit mir nicht stimmt, was ich nicht erwarte, alles muß ich bei Seite bringen, in dem Kunstwerk nur den Gedanken des Künstlers, die erste Ausführung, das Leben der ersten Zeit da das Werk entstand heraussuchen und es wieder rein in meine Seele bringen, abgeschieden von allem was die Zeit, der alles unterworfen ist und der Wechsel der Dinge darauf gewürkt haben. Dann hab ich einen reinen bleibenden Genuß und um dessentwillen bin ich gereist, nicht um des Augenblicklichen Wohlseins oder Spaßes willen. Mit der Betrachtung und dem Genuß der Natur ists eben das. Triffts dann aber auch einmal zusammen daß alles paßt, dann ists ein großes Geschenk, ich habe solche Augenblicke gehabt.

(Tagebuch der italienischen Reise, 25. September 1786)

Ich fahre fort sorgfältig das Land für sich, eben so seine Einwohner, die Kultur, das Verhältnis der Einwohner unter einander und zuletzt mich den Fremden und was und wie es dem wird zu betrachten.

(Tagebuch der italienischen Reise, 25. Oktober 1786)

Niemals hab ich lebhafter gefühlt wie man zusammenhalten soll als im fremden Lande, in das ich mich, entäussert von allem was uns schützt und forthilft gestürzt habe. Aber ich lerne auch was.

(An Friedrich Heinrich Jacobi, 13. Januar 1787)

⟨...⟩ der Verf. reiste gemächlich seine große Tour durch England, Frankreich, Italien, Spanien, Deutschland und die Niederlande. Blickte in seinen *Puffendorf*, konversierte mit schönen Herrn und Damen, und nahm sein Buch, und schrieb.

Zum Unglück ist in der ganzen Welt nichts schiefer, als die schönen Herrn und Damen, und so wurden seine Gemälde gerade eben so schief; den Engländer verteidigt er immer gegen die Franzosen; den Franzosen setzt er dem Engländer immer entgegen. Jener ist nur stark, dieser nur tändelnd; der Italiener prächtig und feierlich, der Deutsche sauft und zählt Ahnen. Alles vom Hörensagen, Oberfläche, aus *guten* Gesellschaften abstrahiert – und das ist ihm Charakteristik! Wie so gar anders würden oft seine Urteile ausgefallen sein, wenn er sich herunter gelassen hätte, den Mann in seine⟨r⟩ Familie, den Bauern auf seinem Hof, die Mutter unter ihren Kindern, den Handwerksmann in seiner Werkstatt, den ehrlichen Burger bei seiner Kanne Wein, und den Gelehrten und Kaufmann in seinem Kränzchen oder seinem Kaffeehaus zu sehen. Aber das fiel ihm nicht einmal ein, daß da Menschen wären, oder wenns ihm einfiel, wie sollte er die Geduld, die Zeit, die Herablassung haben? Ihm war ganz Europa feines französisches Drama, oder, was ziemlich auf eins hinaus kommt, Marionettenspiel! Er guckte hinein und wieder heraus, und das war alles!

(Frankfurter Gelehrte Anzeigen 1772)

Zufällig hab ich hier Archenholzens *Italien* gefunden. Wie so ein Geschreibe am Ort zusammenschrumpft, ist nicht zu sagen. Eben als wenn man das Büchlein auf Kohlen legte, daß es nach und nach Braun und schwarz würde, die Blätter sich krümmten und im Rauch aufgingen. Er hat die Sachen gesehen, aber zu der großtuischen, verachtenden Manier, besitzt er viel zu wenig Kenntnisse und stolpert Lobend und tadelnd.

Ich will so lang ich hier bin die Augen auftun, bescheiden sehen und erwarten was sich mir in der Seele bildet.

(An J. G. und Caroline Herder, Rom 2.-9. Dezember 1786)

NEAPEL

»Volkmanns historisch-kritische Nachrichten von Italien. Dritter Band.«

Lazaroni.

»Es gibt in Neapel zwischen dreissig und vierzigtausend müßige Leute, welche keine bestimmte Geschäfte haben, und auch nicht verlangen. Sie brauchen einige Ellen Leinwand zu ihrer Kleidung, und etwa sechs Pfennige zu ihrem Unterhalte. In Ermangelung der Betten liegen sie des Nachts auf Bänken, und heißen daher spottweise *Banchierie* oder *Lazaroni*. Sie verachten alle Bequemlichkeit des Lebens mit stoischer Gleichgültigkeit. Soviel Müßiggänger sind allerdings ein großes Übel in einem Staate; allein es hält auch schwer den Geschmack einer Nation zu ändern, und sie arbeitsam zu machen, wenn der Hang zur Faulheit so groß ist. Es gehöret Zeit und unermüdete Sorgfalt dazu, um erst eine Art von Nacheiferung bei ihnen zu erregen, und ein König, der im Lande wohnt, der bei seinen Untertanen geliebt und gefürchtet wird, und der fähig ist einen klug und behutsam entworfenen Plan mit Mut durchzusetzen. Neapel könnte alsdann ein viel mächtigeres Reich werden. Die See bietet die schönste Gelegenheit dar, um so viel tausend Hände durch Fabriken, Handlung und Schiffswesen zu beschäftigen. Unter einer solchen Menge von Müßiggängern muß es notwendig gottloses Volk geben; sie bringen die Nation in bösen Ruf, welche im Grunde nicht schlimmer ist, als die übrigen Italiener.«

Ich konnte zu Neapel zwar sehr viele übel gekleidete Menschen bemerken, aber keine unbeschäftigte. Ich fragte deswegen einige Freunde nach den 40,000 Müßiggängern, welche ich doch wollte kennen lernen; sie konnten mir solche eben so wenig zeigen, und so ging ich, weil diese Untersuchung mit der Betrachtung der Stadt genau zusammen hing, selbst auf die Jagd aus.

Ich fing an mich in dem ungeheuren Gewirre mit den verschiedenen Figuren bekannt zu machen, sie nach ihrer Kleidung, Gestalt, Betragen, Beschäftigung zu beurteilen und zu klassifizieren. Ich fand diese Operation hier leichter als irgendwo, weil der Mensch sich hier mehr selbst gelassen ist, und sich seinem Stande auch äusserlich gemäß bezeigt.

Ich fing meine Beobachtung bei früher Tageszeit an, und alle die Menschen, die ich hie und da stille stehen, oder ruhen fand, waren Leute, deren Beruf es in dem Augenblick mit sich brachte ⟨...⟩.

(Auszüge aus einem Reise-Journal. 1788)

Gleich nach meiner Rückkehr aus Italien machte mir eine andere Arbeit viel Vergnügen. Seit Sternes unnachahmliche sentimentale Reise den Ton gegeben und Nachahmer geweckt, waren Reisebeschreibungen fast durchgängig den Gefühlen und Ansichten des Reisenden gewidmet. Ich dagegen hatte die Maxime ergriffen, mich soviel als möglich zu verleugnen und das Objekt so rein als nur zu tun wäre in mich aufzunehmen. Diesen Grundsatz befolgte ich getreulich als ich dem römischen Karneval beiwohnte. Ausführlich ward ein Schema aller Vorkommenheiten aufgesetzt, auch fertigten gefällige Künstler charakteristische Maskenzeichnungen. Auf diese Vorarbeiten gründete ich meine Darstellung des römischen Karnevals, welche, gut aufgenommen, geistreiche Menschen veranlaßte auf ihren Reisen gleichfalls das Eigentümlichste der Völkerschaften und Verhältnisse klar und rein auszudrücken; wovon ich nur den talentvollen, früh verschiedenen Friedrich Schulz nennen und seine Beschreibung eines polnischen Reichstags in Erinnerung bringen will.

(Tag- und Jahreshefte 1789)

NEUERE UND NEUSTE REISENDE

Was wir dem achtzehnten und schon dem neunzehnten Jahrhundert verdanken, darf hier gar nicht berührt werden. Die Engländer haben uns in der letzten Zeit über die unbekanntesten Gegenden aufgeklärt. Das Königreich Kabul, das alte Gedrosien und Carmanien sind uns zugänglich geworden. Wer kann seine Blicke zurückhalten, daß sie nicht über den Indus hinüber streifen und dort die große Tätigkeit anerkennen, die täglich weiter um sich greift; und so muß denn, hiedurch gefördert, auch im Okzident die Lust nach ferner- und tieferer Sprachkenntnis sich immer erweitern. Wenn wir bedenken, welche Schritte Geist und Fleiß Hand in Hand getan haben, um aus dem beschränkten hebräisch-rabbinischen Kreise bis zur Tiefe und Weite des Sanskrit zu gelangen; so erfreut man sich, seit so vielen Jahren Zeuge dieses Fortschreitens zu sein. Selbst die Kriege, die, so manches hindernd, zerstören, haben der gründlichen Einsicht viele Vorteile gebracht. Von den Himelaja-Gebirgen herab sind uns die Ländereien zu beiden Seiten des Indus, die bisher noch märchenhaft genug geblieben, klar, mit der übrigen Welt im Zusammenhang erschienen. Über die Halbinsel hinunter bis Java können wir nach Belieben, nach Kräften und Gelegenheit unsere Übersicht ausdehnen und uns im Besondersten unterrichten; und so öffnet sich den jüngern Freunden des Orients eines Pforte nach der andern, um die Geheimnisse jener Urwelt, die Mängel einer seltsamen Verfassung und unglücklichen Religion, so wie die Herrlichkeit der Poesie kennen zu lernen, in die sich reine Menschheit, edle Sitte, Heiterkeit und Liebe flüchtet, um uns über Kastenstreit, phantastische Religions-Ungeheuer und abstrusen Mystizismus zu trösten, und zu überzeugen, daß doch zuletzt in ihr das Heil der Menschheit aufbewahrt bleibe.

(Noten und Abhandlungen zum West-östlichen Divan)

Megaprazon an seine Söhne. Glück und Wohlfahrt, guten Mut und frohen Gebrauch eurer Kräfte! Die großen Güter, mit denen mich der Himmel gesegnet hat, würden mir nur eine Last sein, ohne die Kinder, die mich erst zum glücklichen Manne machen. Jeder von euch hat, durch den Einfluß eines eignen günstigen Gestirns, eigne Gaben von der Natur erhalten. Ich habe jeden nach seiner Art von Jugend auf gepflegt, ich habe es euch an nichts fehlen lassen, ich habe den Ältesten zur rechten Zeit eine Frau gegeben, ihr seid wackre und brave Leute geworden. Nun habe ich euch zu einer Wanderschaft ausgerüstet, die euch und eurem Hause Ehre bringen muß. Die merkwürdigen und schönen Inseln und Länder sind berühmt, die mein Urgroßvater Pantagruel teils besucht, teils entdeckt hat, als da ist die Insel der Papimanen, Papefiguen, die Laternen-Insel und das Orakel der heiligen Flasche, daß ich von den übrigen Ländern und Völkern schweige. Denn sonderbar ist es: *berühmt* sind jene Länder, aber *unbekannt*, und scheinen jeden Tag mehr in Vergessenheit zu geraten. Alle Völker Europas schiffen aus Entdeckungsreisen zu machen, alle Gegenden des Ozeans sind durchsucht, und auf keiner Karte finde ich die Inseln bezeichnet, deren erste Kenntnis wir meinem unermüdlichen Urgroßvater schuldig sind; entweder also gelangten die berühmtesten neuen Seefahrer nicht in jene Gegenden, oder sie haben, uneingedenk jener ersten Entdeckungen, die Küsten mit neuen Namen belegt, die Inseln umgetauft, die Sitten der Völker nur obenhin betrachtet und die Spuren veränderter Zeiten unbemerkt gelassen. Euch ist es vorbehalten, meine Söhne, eine glänzende Nachlese zu halten, die Ehre eures Ältervaters wieder aufzufrischen und euch selbst einen unsterblichen Ruhm zu erwerben. Euer kleines, künstlich gebautes Schiff ist mit allem ausgerüstet, und euch selbst kann es an nichts fehlen: denn vor eurer Abreise gab ich einem jeden zu bedenken, daß man sich auf mancherlei Art in der Fremde angenehm machen, daß man sich die Gunst der Menschen auf verschiedenen Wegen erwerben könne; ich riet euch daher, wohl zu bedenken, womit ihr außer dem Proviant, der Munition, den Schiffsgerätschaften euer Fahrzeug beladen, was für Waren ihr mitnehmen, mit was für Hülfsmitteln ihr euch versehen wolltet. Ihr habt nachgedacht, ihr habt mehr als Eine Kiste auf das Schiff getragen, ich habe nicht gefragt was sie enthalten. – Zuletzt verlangtet ihr Geld zur Reise, und ich ließ euch sechs Fäßchen einschiffen, ihr nahmt sie in Verwahrung und fuhrt unter meinen Segenswünschen, unter den Tränen eurer Mutter und eurer Frauen, in Hoffnung glücklicher Rückkehr, mit günstigem Winde davon.

Ihr habt, hoffe ich, den langweiligsten Teil eurer Fahrt durch das hohe Meer glücklich zurückgelegt, ihr naht euch den Inseln auf denen ich euch freundlichen Empfang, wie meinem Urgroßvater, wünsche.

Nun aber verzeiht mir, meine Kinder, wenn ich euch einen Augenblick betrübe – es ist zu eurem Besten.

Epistemon hielt inne, die Brüder horchten auf.

Daß ich euch nicht mit Ungewißheit quäle, so sei es gerade herausgesagt: Es ist kein Geld in den Fäßchen. – Kein Geld! riefen die Brüder wie mit einer Stimme. – Es ist kein Geld in den Fäßchen, wiederholte Epistemon mit halber Stimme und ließ das Blatt sinken. Stillschweigend sahen sie einander an, und jeder wiederholte in seinem eignen Akzente: Kein Geld! kein Geld?

Epistemon nahm das Blatt wieder auf und las weiter: Kein Geld! ruft ihr aus und kaum halten eure Lippen einen harten Tadel eures Vaters zurück. Faßt euch! Geht in euch und ihr werdet die Wohltat preisen die ich euch erzeige. Es steht Geld genug in meinen Gewölben, da mag es stehen bis ihr zurückkommt und der Welt gezeigt habt, daß ihr der Reichtümer wert seid die ich euch hinterlasse.

Epistemon las wohl noch eine halbe Stunde, denn der Brief war lang; er enthielt die trefflichsten Gedanken, die richtigsten Bemerkungen, die heilsamsten Ermahnungen, die schönsten Aussichten; aber nichts war im Stande die Aufmerksamkeit der Geschwister an die Worte des Vaters zu fesseln; die schöne Beredsamkeit ging verloren, jeder kehrte in sich selbst zurück, jeder überlegte was er zu tun, was er zu erwarten habe.

Die Vorlesung war noch nicht geendigt, als schon die Absicht des Vaters erfüllt war: jeder hatte schon bei sich die Schätze gemustert womit ihn die Natur ausgerüstet, jeder fand sich reich genug, einige glaubten sich mit Waren und anderen Hülfsmitteln wohl versehen; man bestimmte schon den Gebrauch voraus, und als nun Epistemon den Brief zusammenfaltete, ward das Gespräch laut und allgemein; man teilte einander Plane, Projekte mit, man widersprach, man fand Beifall, man erdachte Märchen, man ersann Gefahren und Verlegenheiten, man schwätzte bis tief in die Nacht, und eh' man sich niederlegte mußte man gestehen, daß man sich auf der ganzen Reise noch nicht so gut unterhalten hatte.

(Aus: Die Reise der Söhne Megaprazons. 1792?)

GEHEIMSTER WOHNSITZ

Wie das erbaut war, wie's im Frieden lag,
Es kommt vielleicht vom Altertum zu Tag:
Denn vieles wirkte, hielt am sel'gen Fleiß,
Wovon die Welt noch keine Sylbe weiß.
Der Tempel steht, dem höchsten Sinn geweiht,
Auf Felsengrund in hehrer Einsamkeit.
Daneben wohnt die fromme Pilgerschar,
Sie wechseln gehend, kommend, Jahr für Jahr.
So ruhig harrt ein wallendes Geschlecht,
Geschützt durch Mauern, mehr durch Licht und Recht,
Und wer sich dort sein Probejahr befand,
Hat in der Welt gar einen eignen Stand;

Wir hofften selbst uns im Asyl zu gründen.
Wer Buchten kennt, Erdzungen, wird es finden.
Der Abend war unübertrefflich schön,
Ach, wollte Gott ein Künstler hätt's gesehn!

(1821)

»Mit Vergnügen sehe ich immer Ausländer bei mir, die mich besuchen wollen. Ihre Gesellschaft gibt gewissermaßen Ersatz für die Annehmlichkeiten einer Reise, die ich mir in meinem Alter nicht erlauben kann. Indem ich mit Ihnen spreche, reise ich auch, ohne den Aufenthalt zu wechseln; heute zum Beispiel mache ich eine Reise in Polen« – fügte er mit einem Lächeln bei. Diese Worte waren eine Einleitung zum Gespräche über mein Geburtsland, über dessen Vergangenheit und Gegenwart, schließlich über Literatur.

(A. E. Kózmian, Visite eines jungen Polen bei Goethe, 8. Mai 1830)

⟨...⟩ die vielen Fremden, die bei mir vorbeigehen, machen mir den umgekehrten optischen Betrug, als wenn ich mich selbst vom Platz bewegte.

(An Adele Schopenhauer, 19. September 1831)

FREMDE SPRACHEN

Wer fremde Sprachen nicht kennt, weiß nichts von seiner eigenen. (Maximen und Reflexionen)

»Lernst du nicht fremde Sprachen in den Ländern am besten, wo sie zu Hause sind?«

(Wilhelm Meisters Wanderjahre I 4)

Der Deutsche soll alle Sprachen lernen, damit ihm zu Hause kein Fremder unbequem, er aber in der Fremde überall zu Hause sei.

Die Gewalt einer Sprache ist nicht, daß sie das Fremde abweist, sondern daß sie es verschlingt.

Ich verfluche allen negativen Purismus, daß man ein Wort nicht brauchen soll, in welchem eine andre Sprache Vieles oder Zarteres gefaßt hat.

Meine Sache ist der affirmative Purismus, der produktiv ist und nur davon ausgeht: Wo müssen wir *umschreiben*, und der Nachbar hat ein entscheidendes Wort?

Der pedantische Purismus ist ein absurdes Ablehnen weiterer Ausbreitung des Sinnes und Geistes. (Zum Beispiel das englische Wort grief.) (Maximen und Reflexionen)

Sinnreich bist du, die Sprache von fremden Wörtern zu säubern;
Nun so sage doch, Freund, wie man *Pedant* uns verdeutscht.

(Xenien 1797)

Gott Dank! daß uns so wohl geschah,
Der Tyrann sitzt auf Helena!
Doch ließ sich nur der eine bannen:
Wir haben jetzo hundert Tyrannen.
Die schmieden, uns gar unbequem,
Ein neues Kontinental-System.
Teutschland soll rein sich isolieren,
Einen Pest-Kordon um die Grenze führen,
Daß nicht einschleiche fort und fort
Kopf, Körper und Schwanz von fremdem Wort.

(Zahme Xenien; Nachlaß)

Will man aber andere weite Weltverhältnisse mißkennen, ein ausschließendes Gesetz aufstellen, fremde Sprachen, deren Übung und Benutzung verbieten, so muß jeder echte Vaterlandsfreund mit Kraft dagegen wirken.

Die Gelehrsamkeit überhaupt läßt sich ohne die alten Sprachen nicht denken, und wie sollte sich jemand zum Erzieher in höherem Sinne bilden ohne gründliches Studium derselben. Das ganze Talent eines Weltmanns ruht auf der Gewandtheit in neueren Sprachen: hohe Staatsämter, diplomatische Vorschule derselben, Handelsmänner und deren reisende Gehülfen, Staatsmänner und Diplomaten zu eigenem Vorteil.

Der Wissenschaft und Philosophie Ergebene können die neuen Sprachen nicht entbehren, sowohl weil sie sich aus Büchern unterrichten müssen als auch weil der Völkerverkehr täglich stärker wird. Engländer und Franzosen lernen Deutsch; sollte man ihnen nicht entgegen kommen? Und reichten unsere Tag-, Wochen- und Monatsblätter ohne fremde Sprache wohl aus, und die mancherlei Übersetzungsanstalten, die sich immer vermehren, wie sollten sie gedeihen? Alles das ist so klar und jedem einleuchtend, daß man gar nicht weiß, warum man darüber spricht, und doch vernimmt man immerfort hie und da mißverstandene Mißbilligung solcher Studien und solcher Bemühungen.

(Deutsche Sprache, 1817. Entwurf)

Eine fremde Sprache ist hauptsächlich dann zu beneiden, wenn sie mit Einem Worte ausdrücken kann, was die andere umschreiben muß, und hierin steht jede Sprache im Vorteil und Nachteil gegen die andere, wie man alsobald sehen kann, wenn man die gegenseitigen Wörterbücher durchläuft. Mir aber kömmt vor, man könne gar manches Wort auf diesem Wege gewinnen, wenn man nachsieht, woher es in jener Sprache stammt, und alsdann versucht, ob man aus denselben etymologischen Gründen durch ähnliche Ableitung zu demselben Worte gelangen könnte.

(An Friedrich Wilhelm Riemer, 30. Juni 1813)

In Gefolg von diesem ⟨Unterricht eines Sprachmeisters⟩ hegte mein Vater eine neue Sorgfalt, daß auch das Englische hübsch in der Reihe der übrigen Sprachbeschäftigungen bliebe. Nun bekenne ich, daß es mir immer lästiger wurde, bald aus dieser bald aus jener Grammatik oder Beispielsammlung, bald aus diesem oder jenem Autor den Anlaß zu meinen Arbeiten zu nehmen, und so meinen Anteil an den Gegenständen zugleich mit den Stunden zu verzetteln. Ich kam daher auf den Gedanken, alles mit einmal abzutun, und erfand einen Roman von sechs bis sieben Geschwistern, die von einander entfernt und in der Welt zerstreut sich wechselseitig Nachricht von ihren Zuständen und Empfindungen mitteilen. Der älteste Bruder gibt in gutem Deutsch Bericht von allerlei Gegenständen und Ereignissen seiner Reise. Die Schwester, in einem frauenzimmerlichen Styl, mit lauter Punkten und in kurzen Sätzen, ungefähr wie nachher Siegwart geschrieben wurde, erwidert bald ihm, bald den andern Geschwistern, was sie teils von häuslichen Verhältnissen, teils von Herzensangelegenheiten zu erzählen hat. Ein Bruder studiert Theologie und schreibt ein sehr förmliches Latein, dem er manchmal ein griechisches Postskript hinzufügt. Einem folgenden in Hamburg als Handlungsdiener angestellt, ward natürlich die englische Korrespondenz zuteil, so wie einem jüngern der sich in Marseille aufhielt, die französische. Zum Italiänischen fand sich ein Musikus auf seinem ersten Ausflug in die Welt, und der jüngste, eine Art von naseweisem Nestquackelchen, hatte, da ihm die übrigen Sprachen abgeschnitten waren, sich aufs Judendeutsch gelegt, und brachte durch seine schrecklichen Chiffern die übrigen in Verzweiflung, und die Eltern über den guten Einfall zum Lachen.

Für diese wunderliche Form suchte ich mir einigen Gehalt, indem ich die Geographie der Gegenden, wo meine Geschöpfe sich aufhielten, studierte, und zu jenen trockenen Lokalitäten allerlei Menschlichkeiten hinzu erfand, die mit dem Charakter der Personen und ihrer Beschäftigung einige Verwandtschaft hatten. Auf diese Weise wurden meine Exerzitienbücher viel voluminöser; der Vater war zufriedener, und ich ward eher gewahr was mir an eigenem Vorrat und an Fertigkeiten abging.

Wie nun dergleichen Dinge, wenn sie einmal im Gange sind, kein Ende und keine Grenzen haben, so ging es auch hier: denn indem ich mir das barocke Judendeutsch zuzueignen und es eben so gut zu schreiben suchte, als ich es lesen konnte, fand ich bald, daß mir die Kenntnis des Hebräischen fehlte, wovon sich das moderne verdorbene und verzerrte allein ableiten und mit einiger Sicherheit behandeln ließ. Ich eröffnete daher meinem Vater die Notwendigkeit, Hebräisch zu lernen, und betrieb sehr lebhaft seine Einwilligung: denn ich hatte noch einen höhern Zweck. Überall hörte ich sagen, daß zum Verständnis des alten Testaments so wie des neuen die Grundsprachen nötig wären. Das letzte las ich ganz bequem, weil die sogenannten Evangelien und Episteln, damit es ja auch Sonntags nicht an Übung fehle, nach der Kirche rezitiert, übersetzt und einigermaßen erklärt werden mußten. Eben so dachte ich es nun auch mit dem Alten Testamente zu halten, das mir wegen seiner Eigentümlichkeit ganz besonders von jeher zugesagt hatte.

(Dichtung und Wahrheit I 4)

Denn gewiß, man kann seinen Anteil an einer ausländischen Dicht- und Sinnesart nicht besser ausdrücken, als wenn man sich derselben durch Übersetzen und Nachbilden anzunähern sucht. (Nationelle Dichtkunst. 1828)

Wer die deutsche Sprache versteht und studiert befindet sich auf dem Markte wo alle Nationen ihre Waren anbieten, er spielt den Dolmetscher indem er sich selbst bereichert.

Und so ist jeder Übersetzer anzusehen, daß er sich als Vermittler dieses allgemein geistigen Handels bemüht, und den Wechseltausch zu befördern sich zum Geschäft macht. Denn, was man auch von der Unzulänglichkeit des Übersetzens sagen mag, so ist und bleibt es doch eins der wichtigsten und würdigsten Geschäfte in dem allgemeinen Weltwesen.

Der Koran sagt: »Gott hat jedem Volke einen Propheten gegeben in seiner eignen Sprache.« So ist jeder Übersetzer ein Prophet seinem Volke. (An Thomas Carlyle, 20. Juli 1827)

Der zu dem geistigen Erzeugnis eines fremden Volkes eine lebhafte Neigung gewinnt und seine Gefühle, seine Genüsse dem eigenen Volke gern mitteilen möchte, wird immer von einer gewissen Scheu zurückgehalten, er fühlt streng den Unterschied zweier Denkarten; der ausländischen möchte er nichts vergeben, die inländische nicht verletzen, jene wünscht er heranzuführen und fürchtet, abgestoßen zu werden. Deshalb sich denn die ersten Übersetzungen einen bescheidenen Weg steckten; man fühlt, daß nur durch Annäherung an das Heimische Beifall zu ernten sei, man entfernt sich nach und nach von dem Original, da es denn geschieht, daß der eigentliche Sinn entstellt wird, der durch und durch wehende Geist verschwindet.

(Serbische Gedichte. 1827. Entwurf)

Vergleichung älterer und neuerer deutscher Übersetzungen.

Die Sprache gewinnt immer mehr Biegsamkeit sich andern Ausdrucksweisen zu fügen; die Nation gewöhnt sich immer mehr, Fremdartiges aufzunehmen, sowohl in Wort als Bildung und Wendung.

(Volkslieder der Serben; Entwurf 1826/7?)

Beim Übersetzen muß man bis ans Unübersetzliche herangehen, alsdann wird man aber erst die fremde Nation und die fremde Sprache gewahr. (Maximen und Reflexionen)

EIN GLEICHNIS

Jüngst pflückt' ich einen Wiesenstrauß,
Trug ihn gedankenvoll nach Haus,
Da hatten von der warmen Hand
Die Kronen sich alle zur Erde gewandt.
Ich setzte sie in frisches Glas
Und welch ein Wunder war mir das!
Die Köpfchen hoben sich empor,
Die Blätterstengel im grünen Flor,
Und allzusammen so gesund
Als stünden sie noch auf Muttergrund.

So war mir's als ich wundersam
Mein Lied in fremder Sprache vernahm.

(1828)

Wenn wir das was wir wissen nach anderer Methode oder wohl gar in fremder Sprache dargelegt finden, so erhält es einen sonderbaren Reiz der Neuheit und frischen Ansehens.

(Maximen und Reflexionen)

⟨SULEIKA⟩

Schreibt er in Neski,
So sagt ers treulich,
Schreibt er in Talik,
's ist gar erfreulich,
Eins wie das andre,
Genug! er liebt.

(West-östlicher Divan; Nachlaß)

NATIONALCHARAKTER

Zur *Nation* euch zu bilden, ihr hoffet es, Deutsche, vergebens;
Bildet, ihr könnt es, dafür freier zu Menschen euch aus.

(Xenien 1797)

Der echte Deutsche bezeichnet sich durch mannigfaltige Bildung und Einheit des Charakters.

Die Engländer werden uns beschämen durch reinen Menschenverstand und guten Willen, die Franzosen durch geistreiche Umsicht und praktische Ausführung.

(Maximen und Reflexionen)

Wenn die Deutschen nicht real gerührt sind, so sind sie ideal schwer zu rühren.

(An Karl Friedrich Zelter, 19. Juni 1805)

Deutschland kann sich nicht entlaufen, und wenn es nach Rom liefe, überall wird es von der Platitüde begleitet, wie der Engländer von seinem Teekessel.

(An Friedrich Schiller, 30. Dezember 1795)

Überhaupt wäre es zu wünschen, daß die Deutschen, die so vieles Gutes leisten, indem sie sich das Gute fremder Nationen aneignen, sich nach und nach gewöhnten, in Gesellschaft zu arbeiten. Wir leben zwar in einer diesem Wunsche gerade entgegengesetzten Epoche. Jeder will nicht nur original in seinen Ansichten, sondern auch im Gange seines Lebens und Tuns, von den Bemühungen anderer unabhängig, wo nicht sein, doch daß er es sei, sich überreden. Man bemerkt sehr oft, daß Männer, die freilich manches geleistet, nur sich selbst, ihre eigenen Schriften, Journale und Kompendien zitieren; anstatt daß es für den Einzelnen und für die Welt viel vorteilhafter wäre, wenn mehrere zu gemeinsamer Arbeit gerufen würden. Das Betragen unserer Nachbarn, der Franzosen, ist hierin musterhaft ⟨...⟩.

(Zur Farbenlehre. Didaktischer Teil. 1807)

Sie wissen, es vergeht bei mir kaum ein Tag, wo ich nicht von durchreisenden Fremden besucht werde. Wenn ich aber sagen sollte, daß ich an den persönlichen Erscheinungen, besonders junger deutscher Gelehrtern aus einer gewissen nordöstlichen Richtung, große Freude hätte, so müßte ich lügen. – Kurzsichtig, blaß, mit eingefallener Brust, jung ohne Jugend: das ist das Bild der meisten, wie sie sich mir darstellen. Und wie ich mit ihnen mich in ein Gespräch einlasse, habe ich sogleich zu bemerken, daß ihnen dasjenige, woran unsereiner Freude hat, nichtig und trivial erscheint, daß sie ganz in der Idee stecken und nur die höchsten Probleme der Spekulation sie zu interessieren geeignet sind ⟨...⟩. Könnte man nur den Deutschen, nach dem Vorbilde der Engländer, weniger Philosophie und mehr Tatkraft, weniger Theorie und mehr Praxis beibringen, so würde uns schon ein gutes Stück Erlösung zuteil werden, ohne daß wir auf das Erscheinen der persönlichen Hoheit eines zweiten Christus zu warten brauchten. Sehr viel könnte geschehen von unten, vom

Volke, durch Schulen und häusliche Erziehung, sehr viel von oben durch die Herrscher und ihre Nächsten.

So z. B. kann ich nicht billigen, daß man von den studierenden künftigen Staatsdienern gar zu viele theoretisch-gelehrte Kenntnisse verlangt, wodurch die jungen Leute vor der Zeit geistig wie körperlich ruiniert werden. Treten sie nun hierauf in den praktischen Dienst, so besitzen sie zwar einen ungeheuren Vorrat an philosophischen und gelehrten Dingen, allein er kann in dem beschränkten Kreise ihres Berufes gar nicht zur Anwendung kommen und muß daher als unnütz wieder vergessen werden. Dagegen aber, was sie am meisten bedurften, haben sie eingebüßt: es fehlt ihnen die nötige geistige wie körperliche Energie, die bei einem tüchtigen Auftreten im praktischen Verkehr ganz unerläßlich ist.

Und dann, bedarf es denn im Leben eines Staatsdieners, in Behandlung der Menschen, nicht auch der Liebe und des Wohlwollens? – Und wie soll einer gegen andere Wohlwollen empfinden und ausüben, wenn es ihm selber nicht wohl ist?

Es ist aber den Leuten allen herzlich schlecht! Der dritte Teil der an den Schreibtisch gefesselten Gelehrten und Staatsdiener ist körperlich anbrüchig und dem Dämon der Hypochondrie verfallen. Hier täte es not, von oben her einzuwirken, um wenigstens künftige Generationen vor ähnlichem Verderben zu schützen.

Wir wollen indes, fügte Goethe lächelnd hinzu, hoffen und erwarten, wie es etwa in einem Jahrhundert mit uns Deutschen aussieht, und ob wir es sodann dahin werden gebracht haben, nicht mehr abstrakte Gelehrte und Philosophen, sondern Menschen zu sein.

(Eckermann, Gespräche III: 12. März 1828)

	der Deutsche	der Franzose
Gang	wie ein Gockel	beherrscht
Haltung	soldatisch	nachgiebig
Mienenspiel	unbeherrscht	schmeichlerisch
Stimme	männlich	von angenehmem Klang
sprachl. Ausdruck	ernst	gewandt
Lebensart	bäuerlich	bescheiden
Kleidung	bunt u. doch nicht geschmackvoll	verschwenderisch
beim Gesang	jault (bis auf die Belger)	singt genau im Takt
in der Rede	derb und einfach	schlagfertig u. keck
beim Planen	zweckbestimmt	unüberlegt
gegenüber Fremden	unhöflich und ungastlich	entgegenkommend
in der Diskussion	herrisch und untolerant	gelassen
in der Liebe	anspruchsvoll	leichtlebig
im Haß	rachsüchtig	trotzig
in der Tätigkeit	umtriebig	unruhig
hervorragend	in Religion und Technik	in der Staatskunst
er überlegt	nach der Tat	bei der Tat
er liebt	die verwegene Art	die schnelle, sanfte Art
bei den Studien	ernst u. ausdauernd	leichtfertig u. angeberisch

der Italiener	der Spanier	der Engländer
etwas langsam	beschwingt	zielbewußt
gewichtig	beschwingt	natürlich
wechselnd	pathetisch	starr
sanft	variabel	ziemlich tief (hoch?)
zweideutig	elegant	weitschweifig
prachtliebend	heiter	maßvoll
sorgfältig	geschmackvoll	einfach
blökt	girrt	stößt mit der Zunge an, lispelt
würdevoll u. verschlagen	kunstvoll u. prahlerisch	gewandt u. weitschweifig
klar	wetterwendisch	ungeduldig
gefällig	untertänig	kalt
verständig	vorsichtig	stur
eifersüchtig	unduldsam	großzügig
hinterhältig	unbeugsam	unbeständig
umsichtig	aufmerksam	gleichmäßig
in d. Literatur	in d. Seefahrt	in Handel u. Technik
vor der Tat	vor der Tat	nur selten handeln sie unverständig (spielen sie verrückt)
die behutsame Art	die formvollendete Art	die gehorsame Art
fleißig u. gezielt	– – – –	stur u. hartnäckig

(Kollektaneen 1795/96)

Warum Ausländer: Briten, Amerikaner, Franzosen und Italiener unsrer neuen Philosophie nichts abgewinnen können, schreibt sich wohl daher, daß sie nicht unmittelbar ins Leben eingreift; praktische Vorteile von ihr können sie nicht absehen; deshalb wenden sie sich mehr oder weniger nach der schottischen Lehre, wie sie von ⟨*Lücke*⟩ Reid, Browne vorgetragen wird. Diese nähert sich dem Menschenverstande und dadurch gewinnt sie Gunst. Sie sucht den Sensualism und Spiritualism zu versöhnen; die Übereinstimmung des Reellen mit dem Ideellen zu vermitteln und dadurch einen vollkommnern Zustand des menschlichen Denkens und Handelns hervorzubringen; und schon daß sie dies unternimmt und zu leisten verspricht, erwirbt ihr Schüler und Verehrer.

(Deutsche Philosophie. 1828)

Goethe sprach über die Eigentümlichkeit der Sprichwörter bei den verschiednen Nationen; die griechischen gingen alle aus unmittelbarster, speziellster Anschauung hervor, z. B. der Storch im Hanfe p., die deutschen seien stets derb, tüchtig, sittlich bezeichnend.

(Friedrich v. Müller, Unterhaltungen: 24. April 1819)

Sprichwort bezeichnet Nationen;
Mußt aber erst unter ihnen wohnen.

(Sprichwörtlich. 1812/15)

Eine wahrhaft allgemeine Duldung wird am sichersten erreicht, wenn man das Besondere der einzelnen Menschen und Völkerschaften auf sich beruhen läßt, bei der Überzeugung jedoch festhält, daß das wahrhaft Verdienstliche sich dadurch auszeichnet, daß es der ganzen Menschheit angehört.

(An Thomas Carlyle, 20. Juli 1827)

DEN VEREINIGTEN STAATEN

Amerika, du hast es besser
Als unser Kontinent, das alte,
Hast keine verfallene Schlösser
Und keine Basalte.
Dich stört nicht im Innern,
Zu lebendiger Zeit,
Unnützes Erinnern
Und vergeblicher Streit.
  Benutzt die Gegenwart mit Glück!
Und wenn nun eure Kinder dichten,
Bewahre sie ein gut Geschick
Vor Ritter-, Räuber- und Gespenster-
  geschichten.

(1827)

NATIONALE EGOISMEN

⟨ZURECHTWEISUNG⟩

Und wer franzet oder britet,
Italienert oder teutschet,
Einer will nur wie der andre
Was die Eigenliebe heischet.

Denn es ist kein Anerkennen,
Weder vieler, noch des einen,
Wenn es nicht am Tage fördert
Wo man selbst was möchte scheinen.

Morgen habe denn das Rechte
Seine Freunde wohlgesinnet,
Wenn nur heute noch das Schlechte
Vollen Platz und Gunst gewinnet.

Wer nicht von dreitausend Jahren
Sich weiß Rechenschaft zu geben,
Bleib' im Dunkeln unerfahren,
Mag von Tag zu Tage leben.

(West-östlicher Divan)

Sehen wir unsre Literatur über ein halbes Jahrhundert zurück, so finden wir, daß nichts um der Fremden willen geschehen ist. (Maximen und Reflexionen)

MEPHISTOPHELES

An der Gegenseite
⟨des Pindus⟩ kletternd

⟨...⟩
Auf meinem Harz der harzige Dunst
Hat was vom Pech und das hat meine Gunst;
Zunächst der Schwefel.... Hier, bei diesen Griechen
Ist von dergleichen kaum die Spur zu riechen;
⟨...⟩

DRYAS

In Deinem Lande sei einheimisch klug,
Im fremden bist du nicht gewandt genug.
Du solltest nicht den Sinn zur Heimat kehren,
Der heiligen Eichen Würde hier verehren.

MEPHISTOPHELES

Man denkt an das was man verließ,
Was man gewohnt war bleibt ein Paradies.

(Faust II, Verse 7953-7964)

Es geht uns alten Europäern übrigens mehr oder weniger allen herzlich schlecht; unsere Zustände sind viel zu künstlich und kompliziert, unsere Nahrung und Lebensweise ist ohne die rechte Natur, und unser geselliger Verkehr ohne eigentliche Liebe und Wohlwollen. – Jedermann ist fein und höflich, aber Niemand hat den Mut, gemütlich und wahr zu sein, so daß ein redlicher Mensch mit natürlicher Neigung und Gesinnung einen recht bösen Stand hat. Man sollte oft wünschen, auf einer der Südsee-Inseln als sogenannter

Wilder geboren zu sein, um nur einmal das menschliche Dasein, ohne falschen Beigeschmack, durchaus rein zu genießen. (Eckermann, Gespräche III: 12. März 1828)

Über die Liebe des Vaterlands in Form eines Traktats, fürs deutsche Publikum!

Die ewigen mißverstandenen Klagen nachgesungen: »Wir haben kein Vaterland, keinen Patriotismus.« Wenn wir einen Platz in der Welt finden, da, mit unsern Besitztümern zu ruhen; ein Feld, uns zu nähren; ein Haus, uns zu decken; haben wir da nicht Vaterland? und haben das nicht tausend und tausende in jedem Staat? und leben sie nicht in dieser Beschränkung glücklich? Wozu nun das vergebene Aufstreben nach einer Empfindung, die wir weder haben können noch mögen, die bei gewissen Völkern, nur zu gewissen Zeitpunkten, das Resultat vieler glücklich zusammentreffender Umstände war und ist. ⟨...⟩

Nicht der Boden, sondern die Verhältnisse eines Volks, deren zwar viele auch aus dem Lande, das sie bewohnen, hervorspringen, bestimmen Nation. So haben die Juden Nation und Patriotismus, mehr als hundert leibeigne Geschlechter.

(Frankfurter Gelehrte Anzeigen 1772)

Wenn man aber denkt, die Einheit Deutschlands bestehe darin, daß das sehr große Reich eine einzige große Residenz habe, und daß diese eine große Residenz, wie zum Wohl der Entwickelung einzelner großer Talente, so auch zum Wohl der großen Masse des Volkes gereiche, so ist man im Irrtum.

Man hat einen Staat wohl einem lebendigen Körper mit

vielen Gliedern verglichen, und so ließe sich wohl die Residenz eines Staates dem Herzen vergleichen, von welchem aus Leben und Wohlsein in die einzelnen nahen und fernen Glieder strömt. Sind aber die Glieder sehr ferne vom Herzen, so wird das zuströmende Leben schwach und immer schwächer empfunden werden. Ein geistreicher Franzose, ich glaube Dupin, hat eine Karte über den Kulturzustand Frankreichs entworfen, und die größere oder geringere Aufklärung der verschiedenen Departements mit helleren oder dunkleren Farben zur Anschauung gebracht. Da finden sich nun, besonders in südlichen, weit von der Residenz entlegenen Provinzen, einzelne Departements, die in ganz schwarzer Farbe daliegen, als Zeichen einer dort herrschenden großen Finsternis. Würde das aber wohl sein, wenn das schöne Frankreich, statt des *einen* großen Mittelpunktes, *zehn* Mittelpunkte hätte, von denen Licht und Leben ausginge?

(Eckermann, Gespräche III: 23. Oktober 1828)

Zeichnet doch euere patriotischen Gegenstände! Einen König, der auf einer Brunnenröhre sitzt und denkt! Ja, wenn ihr seine Gedanken zeichnen könntet!

Ein solcher König hat mit eurer bildenden Kunst ⟨nichts⟩ zu tun; er soll nur im Geist und der Wahrheit verehrt werden.

Wenn ihr sagt: »Wir machen's so«, da hat kein Mensch was dagegen; sagt ihr aber: »Ihr sollt's auch so machen, euch nach unserer Beschränkung beschränken«, da kommt ihr um vieles zu spät.

(Maximen und Reflexionen)

Deutsche Künstler nach Italien versetzt, dort wirkend, Kunst und Familie fortpflanzend, waren mir immer höchlich wert; Deutsche, im Ausland sich ein Vaterland begründend, an fremden Vortrefflichkeiten der Zustände, Gegenstände und Sitten sich auferbauend, müssen vielleicht jetzt mehr als jemals der Grille entgegengesetzt werden, die den Deutschen vernichten will, indem sie ihn auf sich selbst zurück weist.

(An Barthold Georg Niebuhr, 16. ⟨17.⟩ April 1817)

Paris ist offen, Italien wird's auch werden; so lange uns der Atem bleibt, werden wir den Künstler in das Weite der Welt und Kunst und in die Beschränktheit seiner selbst weisen.

(Maximen und Reflexionen)

Möchten sie ⟨die Deutschen⟩ ⟨...⟩ ihre Selbstkenntnis erweitern, und ⟨...⟩ in Wissenschaft und Kunst, nicht, wie bisher, einander ewig widerstrebend, endlich auch gemeinsam wirken, und, wie jetzt die ausländische Sklaverei, so auch den inneren Parteisinn ihrer neidischen Apprehensionen unter einander besiegen ⟨...⟩.

(An Sara von Grotthuß, 17. Februar 1814)

So würde jetzt ein kurzgefaßter Aufsatz willkommen sein, der uns vor Augen stellte, wie seit vierzig Jahren geist- und klangreiche Menschen sowohl französischen als italienischen Opern deutsche Texte untergelegt ⟨...⟩. Unser lyrisches Theater hat sich dadurch nach und nach zu einer ungemeinen Höhe geschwungen ⟨...⟩, woraus denn abermals erhellen würde, daß der Deutsche nichts Wunderlicheres tun könnte, als sich in seinen mittelländischen Kreis zu beschränken ⟨...⟩, uneingedenk alles dessen, was er seit einem halben Jahrhundert fremden Völkern schuldig geworden ⟨...⟩

(Deutsche Sprache. 1817)

Goethe liest seit einiger Zeit sehr eifrig den *Globe* und macht dieses Blatt sehr oft zum Gegenstand seines Gesprächs. Die Bemühungen Cousins und seiner Schule erscheinen ihm besonders wichtig.

»Diese Männer, sagte er, sind ganz auf dem Wege, eine Annäherung zwischen Frankreich und Deutschland zu bewirken, indem sie eine Sprache bilden, die durchaus geeignet ist, den Ideen-Verkehr zwischen beiden Nationen zu erleichtern.«

(Eckermann, Gespräche III: 17. Oktober 1828)

Ampère ⟨...⟩ steht freilich in seiner Bildung so hoch, daß die nationalen Vorurteile, Apprehensionen und Borniertheiten vieler seiner Landsleute weit hinter ihm liegen, und er seinem Geiste nach weit mehr ein Weltbürger ist, als ein Bürger von Paris. Ich sehe übrigens die Zeit kommen, wo er in Frankreich Tausende haben wird, die ihm gleich denken.

(Eckermann, Gespräche III: 4. Mai 1827)

Ich habe in meiner Poesie nie affektiert. ⟨...⟩ Liebesgedichte habe ich nur gemacht, wenn ich liebte. Wie hätte ich nun Lieder des Hasses schreiben können ohne Haß! – Und, unter uns, ich haßte die Franzosen nicht, wiewohl ich Gott dankte, als wir sie los waren. Wie hätte auch ich, dem nur Kultur und Barbarei Dinge von Bedeutung sind, eine Nation hassen können, die zu den kultiviertesten der Erde gehört und der ich einen so großen Teil meiner eigenen Bildung verdankte!

Überhaupt, fuhr Goethe fort, ist es mit dem Nationalhaß ein eigenes Ding. – Auf den untersten Stufen der Kultur werden Sie ihn immer am stärksten und heftigsten finden. Es gibt aber eine Stufe, wo er ganz verschwindet und wo man gewissermaßen *über* den Nationen steht, und man ein Glück oder ein Wehe seines Nachbarvolkes empfindet, als wäre es dem eigenen begegnet. Diese Kulturstufe war meiner Natur gemäß, und ich hatte mich darin lange befestigt, ehe ich mein sechszigstes Jahr erreicht hatte.

(Eckermann, Gespräche III: 14. März 1830)

David, dabei möglicherweise nichts denkend, erhob oder berührte vielmehr die Frage der nationalen Sympathien und Antipathien ⟨…⟩. Goethe ⟨…⟩ wies ⟨…⟩ nach, wie die angeborenen Verschiedenheiten der Begriffe und Gefühle oder, besser gesagt, der Weise zu begreifen und zu fühlen, welche sowohl ganzen Stämmen als einzelnen Menschen eigentümlich und die Folge von Neigungen und Stolz oder verkehrten Ansichten oder leidenschaftlicher Überhebungen sind, sich mit der Zeit bei der blinden Menge zu unübersteiglichen Grenzen gestalten, welche die Menschheit so zerteilen, wie Gebirge oder Meere die Landschaften abgrenzen. Daraus gehe nun für die Höhergebildeten und Besseren die Pflicht hervor, ebenso mildernd und versöhnend auf die Beziehungen der Völker einzuwirken, wie die Schiffahrt zu erleichtern oder Wege über Gebirge zu bahnen. Der Freihandel der Begriffe und Gefühle steigere ebenso wie der Verkehr in Produkten und Bodenerzeugnissen den Reichtum und das allgemeine Wohlsein der Menschheit. Daß das bisher nicht geschehen sei, liege an nichts anderem, als daran, daß die internationale Gemeinsamkeit keine festen moralischen Gesetze und Grundlagen habe, welche doch im Privatverkehre die unzähligen individuellen Verschiedenheiten zu mildern und in ein mehr oder minder harmonisches Ganzes zu verschmelzen vermögen. ⟨...⟩ Goethe saß mitten zwischen Adam ⟨Mickiewicz⟩ und David, und schon das stimmte zu Erwägungen, wie das Genie die Nationalitäten einige und einander annähere....

(Gespräch mit A. E. Odyniec, 25. August 1829)

Ein wohldenkender Mann verbindet sich Fremden, aber der Bösartige entfremdet sich seinem Nächsten.

Das Land, das die Fremden nicht beschützt, geht bald unter. Sei ein Freund der Fremden und Reisenden, denn sie sind als Mittel eines guten Rufs zu betrachten ⟨...⟩.

(Noten und Abhandlungen zum West-östlichen Divan)

WELTLITERATUR

Nationalliteratur will jetzt nicht viel sagen; die Epoche der Weltliteratur ist an der Zeit, und jeder muß jetzt dazu wirken, diese Epoche zu beschleunigen.

(Eckermann, Gespräche II: 31. Januar 1827)

Ich bin überzeugt daß eine Weltliteratur sich bilde, daß alle Nationen dazu geneigt sind und deshalb freundliche Schritte tun. Der Deutsche kann und soll hier am meisten wirken, er wird eine schöne Rolle bei diesem großen Zusammentreten zu spielen haben.

(An A.F.C. Streckfuß, 27. Januar 1827)

Jetzt, da sich eine Weltliteratur einleitet, hat, genau besehen, der Deutsche am meisten zu verlieren; er wird wohl tun, dieser Warnung nachzudenken.

(Maximen und Reflexionen)

Wenn wir eine europäische, ja eine allgemeine Weltliteratur zu verkündigen gewagt haben, so heißt dieses nicht, daß die verschiedenen Nationen voneinander und ihren Erzeugnissen Kenntnis nehmen, denn in diesem Sinne existiert sie schon lange, setzt sich fort und erneuert sich mehr oder weniger. Nein! hier ist vielmehr davon die Rede, daß die lebendigen und strebenden Literatoren einander kennenlernen und durch Neigung und Gemeinsinn sich veranlaßt finden, gesellschaftlich zu wirken. Dieses wird aber mehr durch Reisende als durch Korrespondenz bewirkt, indem ja persönlicher Gegenwart ganz allein gelingt, das wahre Verhältnis unter Menschen zu bestimmen und zu befestigen.

(Die Zusammenkunft der Naturforscher in Berlin. 1828)

Wenn nun aber eine solche Weltliteratur, wie bei der sich immer vermehrenden Schnelligkeit des Verkehrs unausbleiblich ist, sich nächstens bildet, so dürfen wir nur nicht mehr und nichts anders von ihr erwarten, als was sie leisten kann und leistet.

Die weite Welt, so ausgedehnt sie auch sei, ist immer nur ein erweitertes Vaterland und wird, genau besehen, uns nicht mehr geben, als was der einheimische Boden auch verlieh; was der Menge zusagt, wird sich grenzenlos ausbreiten und, wie wir jetzt schon sehen, sich in allen Zonen und Gegenden empfehlen; dies wird aber dem Ernsten und eigentlich Tüchtigen weniger gelingen; diejenigen aber, die sich dem Höheren und dem höher Fruchtbaren gewidmet haben, werden sich geschwinder und näher kennen lernen. Durchaus gibt es überall in der Welt solche Männer, denen es um das Gegründete und von da aus um den wahren Fortschritt der Menschheit zu tun ist. Aber der Weg, den sie einschlagen, der Schritt, den sie halten, ist nicht eines jeden Sache; die eigentlichen Lebemenschen wollen geschwinder gefördert sein, und deshalb lehnen sie ab und verhindern die Fördernis dessen, was sie selbst fördern könnte. Die Ernsten müssen deshalb eine stille, fast gedrückte Kirche bilden, da es vergebens wäre, der breiten Tagesflut sich entgegenzusetzen; standhaft aber muß man seine Stellung zu behaupten suchen, bis die Strömung vorübergegangen ist.

Die Haupttröstung, ja die vorzüglichste Ermunterung solcher Männer müssen sie darin finden, daß das Wahre auch zugleich nützlich ist; wenn sie diese Verbindung nun selbst entdecken und den Einfluß lebendig vorzeigen und aufweisen können, so wird es ihnen nicht fehlen, kräftig einzuwirken, und zwar auf eine Reihe von Jahren.

(Ferneres über Weltliteratur. 1827)

SCHEMA ZU KUNST UND ALTERTUM

VI. Bdes. 3s. Stück
Europäische, d. h. Welt-Literatur

I. Deutsche.
Ihr Wissen und Bestreben.
Sie arbeiten für sich.
Ohne Bezug aufs Ausland.
Sie haben sich auf einen hohen Punkt der Kenntnis und Bildung erhoben.

II. Franzosen.
Sind von jeher gewohnt nach außen zu wirken.
Bilden sich viel ein auf diesen Einfluß auf die übrige Welt.
Und haben wirklich was man soziale Bildung nennt von oben herein verbreitet.
Dagegen konnten sie in Absicht auf tiefere Bildung fremdem Einfluß nicht ausweichen.
Englische und Schottische Philosophie muß ihnen zu Hülfe kommen um sich aus dem Sensualism zu retten.
Sie werden nach und nach der Deutschen gewahr und fin-

den für sich manches zu brauchen, benutzen was die Ideen-Welt aufschließt, bedienen sich des gelehrten Wissens und arbeiten in ideellern Formen welche in der empirischen und unvollkommenen Erscheinung romantisch heißen.

III. Engländer.

Eine tiefe Kenntnis der deutschen Literatur scheint im Einzelnen ausgesät zu sein.

Andere mögen dies näher erforschen.

IV. Schottländer.

Bei ihnen findet sich schon tiefere und allgemeinere Einwirkung.

V. Italiäner.

Mailand.

EPOCHEN GESELLIGER BILDUNG

I

In einer mehr oder weniger rohen Masse entstehen enge Kreise gebildeter Menschen; die Verhältnisse sind die intimsten, man vertraut nur dem Freunde, man singt nur der Geliebten, alles hat ein häusliches Familienansehn. Die Zirkel schließen sich ab nach außen und müssen es tun, weil sie in dem rohen Elemente ihre Existenz zu sichern haben. Sie halten daher auch mit Vorliebe auf die Muttersprache, man nennte mit Recht diese Epoche

die idyllische.

II

Die engen Kreise vermehren sich und dehnen sich zugleich weiter aus; die innere Zirkulation wird lebhafter, den fremden Sprachen verweigert man die Einwirkung nicht, die Kreise bleiben abgesondert, aber nähern sich und lassen einander gewähren. Ich würde diese Epoche nennen

die soziale oder zivische.

III

Endlich vermehren sich die Kreise und dehnen sich von innen immer weiter aus, dergestalt, daß sie sich berühren und ein Verschmelzen vorbereiten. Sie begreifen, daß ihre Wünsche, ihre Absichten dieselben sind, aber sie können die Scheidegrenzen nicht auflösen. Sie mag einstweilen heißen

die allgemeinere.

IV

Daß sie aber *universell* werde, dazu gehört Glück und Gunst, deren wir uns gegenwärtig rühmen können. Denn da wir jene Epochen seit vielen Jahren treulich durchgefördert, so gehört ein höherer Einfluß dazu, das zu bewirken, was wir heute erleben: die Vereinigung aller gebildeten Kreise, die sich sonst nur berührten, die Anerkennung Eines Zwecks, die Überzeugung, wie notwendig es sei, sich von den Zuständen des augenblicklichen Weltlaufs im realen und idealen Sinne zu unterrichten. Alle fremde Literaturen setzen sich mit der einheimischen ins Gleiche, und wir bleiben im Weltumlaufe nicht zurück. (1831)

BETRACHTUNGEN
IM SINNE DER WANDERER

Kunst, Ethisches, Natur

Alles Gescheite ist schon gedacht worden, man muß nur versuchen es noch einmal zu denken.

Wie kann man sich selbst kennen lernen? Durch Betrachtung niemals, wohl aber durch Handeln. Versuche deine Pflicht zu tun und du weißt was an dir ist.

Was aber ist deine Pflicht? Die Forderung des Tages.

Die vernünftige Welt ist als ein großes unsterbliches Individuum zu betrachten, das unaufhaltsam das Notwendige bewirkt und dadurch sich sogar über das Zufällige zum Herrn macht.

Mir wird, je länger ich lebe, immer verdrießlicher, wenn ich den Menschen sehe, der eigentlich auf seiner höchsten Stelle da ist um der Natur zu gebieten, um sich und die Seinigen von der gewalttätigen Notwendigkeit zu befreien; wenn ich sehe wie er aus irgend einem vorgefaßten falschen Begriff gerade das Gegenteil tut von dem was er will, und sich alsdann, weil die Anlage im Ganzen verdorben ist, im Einzelnen kümmerlich herum pfuschet.

Tüchtiger, tätiger Mann verdiene dir und erwarte:
von den Großen – Gnade,
von den Mächtigen – Gunst,
von Tätigen und Guten – Förderung,
von der Menge – Neigung,
von dem Einzelnen – Liebe.

Die Dilettanten, wenn sie das Möglichste getan haben, pflegen zu ihrer Entschuldigung zu sagen, die Arbeit sei noch nicht fertig. Freilich kann sie nie fertig werden, weil sie nie recht angefangen ward. Der Meister stellt sein Werk mit wenigen Strichen als fertig dar, ausgeführt oder nicht, schon ist es vollendet. Der geschickteste Dilettant tastet im Ungewissen, und wie die Ausführung wächs't, kommt die Unsicherheit der ersten Anlage immer mehr zum Vorschein. Ganz zuletzt entdeckt sich erst das Verfehlte, das nicht auszugleichen ist, und so kann das Werk freilich nicht fertig werden.

In der wahren Kunst gibt es keine Vorschule, wohl aber Vorbereitungen; die beste jedoch ist die Teilnahme des geringsten Schülers am Geschäft des Meisters. Aus Farbenreibern sind treffliche Maler hervorgegangen.

Ein anderes ist die Nachäffung, zu welcher die natürliche allgemeine Tätigkeit des Menschen durch einen bedeutenden Künstler, der das Schwere mit Leichtigkeit vollbringt, zufällig angeregt wird.

Von der Notwendigkeit: daß der bildende Künstler Studien nach der Natur mache, und von dem Werte derselben überhaupt sind wir genugsam überzeugt; allein wir leugnen nicht, daß es uns öfters betrübt, wenn wir den Mißbrauch eines so löblichen Strebens gewahr werden.

Nach unserer Überzeugung sollte der junge Künstler wenig oder gar keine Studien nach der Natur beginnen, wobei er nicht zugleich dächte, wie er jedes Blatt zu einem Ganzen abrunden, wie er diese Einzelnheit, in ein angenehmes Bild verwandelt, in einen Rahmen eingeschlossen, dem Liebhaber und Kenner gefällig anbieten möge.

Es steht manches Schöne isoliert in der Welt, doch der Geist ist es, der Verknüpfungen zu entdecken und dadurch Kunstwerke hervorzubringen hat. – Die Blume gewinnt erst ihren Reiz durch das Insekt das ihr anhängt, durch den Tautropfen der sie befeuchtet, durch das Gefäß woraus sie allenfalls ihre letzte Nahrung zieht. Kein Busch, kein Baum, dem man nicht durch die Nachbarschaft eines Felsens, einer Quelle, Bedeutung geben, durch eine mäßige einfache Ferne größern Reiz verleihen könnte. So ist es mit menschlichen Figuren und so mit Tieren aller Art beschaffen.

Der Vorteil, den sich der junge Künstler hiedurch verschafft, ist gar mannigfaltig. Er lernt denken, das Passende gehörig zusammenbinden, und, wenn er auf diese Weise geistreich komponiert, wird es ihm zuletzt auch an dem was man Erfindung nennt, an dem Entwickeln des Mannigfaltigen aus dem Einzelnen, keineswegs fehlen können.

Tut er nun hierin der eigentlichen Kunstpädagogik wahrhaft Genüge, so hat er noch nebenher den großen nicht zu verachtenden Gewinn, daß er lernt, verkäufliche dem Liebhaber anmutige und liebliche Blätter hervorzubringen.

Eine solche Arbeit braucht nicht im höchsten Grade ausgeführt und vollendet zu sein; wenn sie gut gesehen, gedacht und fertig ist, so ist sie für den Liebhaber oft reizender, als ein größeres ausgeführtes Werk.

Beschaue doch jeder junge Künstler seine Studien im Büchelchen und im Portefeuille, und überlege wie viele Blätter er davon auf jene Weise genießbar und wünschenswert hätte machen können.

Es ist nicht die Rede vom Höheren, wovon man wohl auch sprechen könnte, sondern es soll nur als Warnung gesagt sein, die von einem Abwege zurückruft und auf's Höhere hindeutet.

Versuche es doch der Künstler nur ein halb Jahr praktisch und setze weder Kohle noch Pinsel an, ohne Intention, einen vorliegenden Naturgegenstand als Bild abzuschließen. Hat er angebornes Talent, so wird sich's bald offenbaren, welche Absicht wir bei diesen Andeutungen im Sinne hegten.

Sage mir mit wem du umgehst, so sage ich dir wer du bist; weiß ich womit du dich beschäftigst, so weiß ich was aus dir werden kann.

Jeder Mensch muß nach seiner Weise denken, denn er findet auf seinem Wege immer ein Wahres, oder eine Art von Wahrem die ihm durch's Leben hilft; nur darf er sich nicht gehen lassen; er muß sich kontrollieren; der bloße nackte Instinkt geziemt nicht dem Menschen.

Unbedingte Tätigkeit, von welcher Art sie sei, macht zuletzt bankerott.

In den Werken des Menschen wie in denen der Natur sind eigentlich die Absichten vorzüglich der Aufmerksamkeit wert.

Die Menschen werden an sich und andern irre, weil sie die Mittel als Zweck behandeln, da denn vor lauter Tätigkeit gar nichts geschieht oder vielleicht gar das Widerwärtige.

Was wir ausdenken, was wir vornehmen, sollte schon vollkommen so rein und schön sein, daß die Welt nur daran zu verderben hätte; wir blieben dadurch in dem Vorteil, das Verschobene zurecht zu rücken, das Zerstörte wieder herzustellen.

Ganze, Halb- und Viertelsirrtümer sind gar schwer und mühsam zurecht zu legen, zu sichten und das Wahre daran dahin zu stellen wohin es gehört.

Es ist nicht immer nötig daß das Wahre sich verkörpere; schon genug, wenn es geistig umher schwebt und Übereinstimmung bewirkt; wenn es wie Glockenton ernst-freundlich durch die Lüfte wogt.

Wenn ich jüngere deutsche Maler, sogar solche die sich eine Zeitlang in Italien aufgehalten, befrage: warum sie doch, besonders in ihren Landschaften, so widerwärtige grelle Töne dem Auge darstellen und vor aller Harmonie zu fliehen scheinen? so geben sie wohl ganz dreist und getrost zur Antwort: sie sähen die Natur genau auf solche Weise.

Kant hat uns aufmerksam gemacht daß es eine Kritik der Vernunft gebe, daß dieses höchste Vermögen, was der Mensch besitzt, Ursache habe, über sich selbst zu wachen. Wie großen Vorteil uns diese Stimme gebracht möge jeder an sich selbst geprüft haben. Ich aber möchte in eben dem Sinne die Aufgabe stellen, daß eine Kritik der Sinne nötig sei, wenn die Kunst überhaupt, besonders die deutsche, irgend wieder sich erholen und in einem erfreulichen Lebensschritt vorwärts gehen solle.

Der zur Vernunft geborene Mensch bedarf noch großer Bildung, sie mag sich ihm nun durch Sorgfalt der Eltern und Erzieher, durch friedliches Beispiel, oder durch strenge Erfahrung nach und nach offenbaren. Ebenso wird zwar der *angehende* Künstler, aber nicht der *vollendete* geboren; sein Auge komme frisch auf die Welt, er habe glücklichen Blick für Gestalt, Proportion, Bewegung; aber für höhere Komposition, für Haltung, Licht, Schatten, Farben kann ihm die natürliche Anlage fehlen ohne daß er es gewahr wird.

Ist er nun nicht geneigt von höher ausgebildeten Künstlern der Vor- und Mitzeit das zu lernen was ihm fehlt um eigentlicher Künstler zu sein, so wird er im falschen Begriff von bewahrter Orginalität hinter sich selbst zurückbleiben; denn nicht allein das was mit uns geboren ist, sondern auch das was wir erwerben können, gehört uns an und wir sind es.

Allgemeine Begriffe und großer Dünkel sind immer auf dem Wege entsetzliches Unglück anzurichten.

»Blasen ist nicht flöten, ihr müßt die Finger bewegen.«

Die Botaniker haben eine Pflanzenabteilung, die sie Incompletae nennen; man kann eben auch sagen, daß es inkomplette, unvollständige Menschen gibt. Es sind diejenigen deren Sehnsucht und Streben mit ihrem Tun und Leisten nicht proportioniert ist.

Der geringste Mensch kann komplett sein, wenn er sich innerhalb der Grenzen seiner Fähigkeiten und Fertigkeiten bewegt; aber selbst schöne *Vorzüge* werden verdunkelt, aufgehoben und vernichtet, wenn jenes unerläßlich geforderte Ebenmaß abgeht. Dieses Unheil wird sich in der neuern Zeit noch öfter hervortun; denn wer wird wohl den Forderungen einer durchaus gesteigerten Gegenwart und zwar in schnellster Bewegung genugtun können?

Nur klugtätige Menschen, die ihre Kräfte kennen und sie mit Maß und Gescheidigkeit benutzen, werden es im Weltwesen weit bringen.

Ein großer Fehler: daß man sich mehr dünkt als man ist und sich weniger schätzt als man wert ist.

Es begegnet mir von Zeit zu Zeit ein Jüngling an dem ich nichts verändert noch gebessert wünschte; nur macht mir bange, daß ich manchen vollkommen geeignet sehe, im Zeitstrom mit fortzuschwimmen, und hier ist's wo ich immerfort aufmerksam machen möchte: daß dem Menschen in seinem zerbrechlichen Kahn eben deshalb das Ruder in die Hand gegeben ist, damit er nicht der Willkür der Wellen, sondern dem Willen seiner Einsicht Folge leiste.

Wie soll nun aber ein junger Mann für sich selbst dahin gelangen, dasjenige für tadelnswert und schädlich anzusehen was jedermann treibt, billigt oder fördert? warum soll er sich nicht und sein Naturell auch dahin gehen lassen?

Für das größte Unheil unserer Zeit, die nichts reif werden läßt, muß ich halten, daß man im nächsten Augenblick den vorhergehenden verspeis't, den Tag im Tage vertut, und so immer aus der Hand in den Mund lebt, ohne irgend etwas vor sich zu bringen. Haben wir doch schon Blätter für sämtliche Tageszeiten! ein guter Kopf könnte wohl noch eins und das andere interkalieren. Dadurch wird alles was ein jeder tut, treibt, dichtet, ja was er vor hat, in's Öffentliche geschleppt. Niemand darf sich freuen oder leiden als zum Zeitvertreib der übrigen; und so springt's von Haus zu Haus, von Stadt zu Stadt, von Reich zu Reich, und zuletzt von Weltteil zu Weltteil, alles veloziferisch.

So wenig nun die Dampfmaschinen zu dämpfen sind, so wenig ist dies auch im Sittlichen möglich; die Lebhaftigkeit des Handelns, das Durchrauschen des Papiergelds, das Anschwellen der Schulden, um Schulden zu bezahlen, das alles sind die ungeheuern Elemente, auf die gegenwärtig ein junger Mann gesetzt ist. Wohl ihm, wenn er von der Natur mit mäßigem, ruhigem Sinn begabt ist, um weder unverhältnismäßige Forderungen an die Welt zu machen, noch auch von ihr sich bestimmen zu lassen.

Aber in einem jeden Kreise bedroht ihn der Tagesgeist; und nichts ist nötiger als früh genug ihm die Richtung bemerklich zu machen, wohin sein Wille zu steuern hat.

Die Bedeutsamkeit der unschuldigsten Reden und Handlungen wächs't mit den Jahren; und wen ich länger um mich sehe, den suche ich immerfort aufmerksam zu machen, welch ein Unterschied statt finde zwischen Aufrichtigkeit, Vertrauen und Indiskretion, ja daß eigentlich kein Unterschied sei, vielmehr nur ein leiser Übergang vom Unverfänglichsten zum Schädlichsten, welcher bemerkt oder vielmehr empfunden werden müsse.

Hierauf haben wir unsern Takt zu üben, sonst laufen wir Gefahr auf dem Wege, worauf wir uns die Gunst der Menschen erwarben, sie ganz unversehens wieder zu verscherzen. Das begreift man wohl im Laufe des Lebens von selbst, aber erst nach bezahltem teurem Lehrgelde, das man leider seinen Nachkommenden nicht ersparen kann.

Das Verhältnis der Künste und Wissenschaften zum Leben ist nach Verhältnis der Stufen worauf sie stehen, nach Beschaffenheit der Zeiten und tausend andern Zufälligkeiten sehr verschieden; deswegen auch niemand darüber im Ganzen leicht klug werden kann.

Poesie wirkt am meisten im Anfang der Zustände, sie seien nun ganz roh, halbkultiviert, oder bei Abänderung einer Kultur, bei'm Gewahrwerden einer fremden Kultur, daß man also sagen kann, die Wirkung der Neuheit findet durchaus statt.

Musik im besten Sinne bedarf weniger der Neuheit, ja vielmehr je älter sie ist, je gewohnter man sie ist, desto mehr wirkt sie.

Die Würde der Kunst erscheint bei der Musik vielleicht am eminentesten, weil sie keinen Stoff hat, der abgerechnet werden müßte. Sie ist ganz Form und Gehalt und erhöht und veredelt alles was sie ausdrückt.

Die Musik ist heilig oder profan. Das Heilige ist ihrer Würde ganz gemäß, und hier hat sie die größte Wirkung auf's Leben, welche sich durch alle Zeiten und Epochen gleich bleibt. Die profane sollte durchaus heiter sein.

Eine Musik die den heiligen und profanen Charakter vermischt ist gottlos, und eine halbschürige, welche schwache, jammervolle, erbärmliche Empfindungen auszudrücken Belieben findet, ist abgeschmackt. Denn sie ist nicht ernst genug, um heilig zu sein, und es fehlt ihr der Hauptcharakter des Entgegengesetzten: die Heiterkeit.

Die Heiligkeit der Kirchenmusiken, das Heitere und Neckische der Volksmelodien sind die beiden Angeln, um die sich die wahre Musik herumdreht. Auf diesen beiden Punkten beweis't sie jederzeit eine unausbleibliche Wirkung: Andacht oder Tanz. Die Vermischung macht irre, die Verschwächung wird fade, und will die Musik sich an Lehrgedichte oder beschreibende und dergl. wenden, so wird sie kalt.

Plastik wirkt eigentlich nur auf ihrer höchsten Stufe; alles Mittlere kann wohl aus mehr denn Einer Ursache imponieren, aber alle mittleren Kunstwerke dieser Art machen mehr irre als daß sie erfreuen. Die Bildhauerkunst muß sich daher noch ein stoffartiges Interesse suchen, und das findet sie in den Bildnissen bedeutender Menschen. Aber auch hier muß sie schon einen hohen Grad erreichen, wenn sie zugleich wahr und würdig sein will.

Die *Malerei* ist die läßlichste und bequemste von allen Künsten. Die läßlichste, weil man ihr um des Stoffes und des Ge-

genstandes willen, auch da wo sie nur Handwerk oder kaum eine Kunst ist, vieles zu Gute hält und sich an ihr erfreut; teils weil eine technische obgleich geistlose Ausführung den Ungebildeten wie den Gebildeten in Verwunderung setzt, so daß sie sich also nur einigermaßen zur Kunst zu steigern braucht, um in einem höheren Grade willkommen zu sein. Wahrheit in Farben, Oberflächen, in Beziehungen der sichtbaren Gegenstände auf einander, ist schon angenehm; und da das Auge ohnehin gewohnt ist alles zu sehen, so ist ihm eine Mißgestalt, und also auch ein Mißbild nicht so zuwider als dem Ohr ein Mißton. Man läßt die schlechteste Abbildung gelten, weil man noch schlechtere Gegenstände zu sehen gewohnt ist. Der Maler darf also nur einigermaßen Künstler sein, so findet er schon ein größeres Publikum als der Musiker, der auf gleichem Grade stünde; wenigstens kann der geringere Maler immer für sich operieren, anstatt daß der mindere Musiker sich mit anderen soziieren muß, um durch gesellige Leistung einigen Effekt zu tun.

Die Frage: ob man bei Betrachtung von Kunstleistungen vergleichen solle oder nicht, möchten wir folgendermaßen beantworten: Der ausgebildete Kenner soll vergleichen; denn ihm schwebt die Idee vor, er hat den Begriff gefaßt was geleistet werden könne und solle; der Liebhaber, auf dem Wege zur Bildung begriffen, fördert sich am besten wenn er nicht vergleicht, sondern jedes Verdienst einzeln betrachtet; dadurch bildet sich Gefühl und Sinn für das Allgemeinere nach und nach aus. Das Vergleichen der Unkenner ist eigentlich nur eine Bequemlichkeit, die sich gern des Urteils überheben möchte.

Wahrheitsliebe zeigt sich darin, daß man überall das Gute zu finden und zu schätzen weiß.

Ein historisches Menschengefühl heißt ein dergestalt gebildetes, daß es bei Schätzung gleichzeitiger Verdienste und Verdienstlichkeiten auch die Vergangenheit mit in Anschlag bringt.

Das Beste was wir von der Geschichte haben ist der Enthusiasmus den sie erregt.

Eigentümlichkeit ruft Eigentümlichkeit hervor.

Man muß bedenken, daß unter den Menschen gar viele sind, die doch auch etwas Bedeutendes sagen wollen ohne produktiv zu sein, und da kommen die wunderlichsten Dinge an den Tag.

Tief und ernstlich denkende Menschen haben gegen das Publikum einen bösen Stand.

Wenn ich die Meinung eines andern anhören soll, so muß sie positiv ausgesprochen werden; problematisches hab' ich in mir selbst genug.

Der Aberglaube gehört zum Wesen des Menschen und flüchtet sich, wenn man ihn ganz und gar zu verdrängen denkt, in die wunderlichsten Ecken und Winkel, von wo er auf einmal, wenn er einigermaßen sicher zu sein glaubt, wieder hervortritt.

Wir würden gar vieles besser kennen, wenn wir es nicht zu genau erkennen wollten. Wird uns doch ein Gegenstand unter einem Winkel von fünf und vierzig Graden erst faßlich.

Mikroskope und Fernröhre verwirren eigentlich den reinen Menschensinn.

Ich schweige zu vielem still, denn ich mag die Menschen nicht irre machen, und bin wohl zufrieden, wenn sie sich freuen da wo ich mich ärgere.

Alles was unsern Geist befreit, ohne uns die Herrschaft über uns selbst zu geben, ist verderblich.

Das *Was* des Kunstwerks interessiert die Menschen mehr als das *Wie*; jenes können sie einzeln ergreifen, dieses im Ganzen nicht fassen. Daher kommt das Herausheben von Stellen, wobei zuletzt, wenn man wohl aufmerkt, die Wirkung der Totalität auch nicht ausbleibt, aber jedem unbewußt.

Die Frage: *woher hat's der Dichter?* geht auch nur auf's *Was*, vom *Wie* erfährt dabei niemand etwas.

Einbildungskraft wird nur durch Kunst, besonders durch Poesie geregelt. Es ist nichts fürchterlicher als Einbildungskraft ohne Geschmack.

Das Manierierte ist ein verfehltes Ideelle, ein subjektiviertes Ideelle; daher fehlt ihm das Geistreiche nicht leicht.

Der Philolog ist angewiesen auf die Kongruenz des Geschriebenüberlieferten. Ein Manuskript liegt zum Grunde, es finden sich in demselben wirkliche Lücken, Schreibfehler, die eine Lücke im Sinne machen, und was sonst alles an einem Manuskript zu tadeln sein mag. Nun findet sich eine zweite Abschrift, eine dritte; die Vergleichung derselben bewirkt immer mehr, das Verständige und Vernünftige der Überlieferung gewahr zu werden. Ja er geht weiter und verlangt von seinem innern Sinn, daß derselbe ohne äußere Hülfsmittel die Kongruenz des Abgehandelten immer mehr zu begreifen und darzustellen wisse. Weil nun hiezu ein besondrer Takt, eine besondre Vertiefung in seinen abgeschiedenen Autor nötig und ein gewisser Grad von Erfindungskraft gefordert wird, so kann man dem Philologen nicht verdenken, wenn er sich auch ein Urteil bei Geschmackssachen zutraut, welches ihm jedoch nicht immer gelingen wird.

Der Dichter ist angewiesen auf Darstellung. Das Höchste derselben ist, wenn sie mit der Wirklichkeit wetteifert, d. h. wenn ihre Schilderungen durch den Geist dergestalt lebendig sind, daß sie als gegenwärtig für jedermann gelten können. Auf ihrem höchsten Gipfel scheint die Poesie ganz äußerlich; jemehr sie sich in's Innere zurückzieht, ist sie auf dem Wege zu sinken. – Diejenige die nur das Innere darstellt, ohne es durch ein Äußeres zu verkörpern; oder ohne das Äußere durch das Innere durchfühlen zu lassen, sind beides die letzten Stufen, von welchen aus sie in's gemeine Leben hineintritt.

Die Redekunst ist angewiesen auf alle Vorteile der Poesie, auf alle ihre Rechte; sie bemächtigt sich derselben und mißbraucht sie, um gewisse äußere, sittliche oder unsittliche, augenblickliche Vorteile im bürgerlichen Leben zu erreichen.

Literatur ist das Fragment der Fragmente; das Wenigste dessen, was geschah und gesprochen worden, ward geschrieben, vom Geschriebenen ist das Wenigste übrig geblieben.

In natürlicher Wahrheit und Großheit, obgleich wild und unbehaglich ausgebildetes Talent ist Lord Byron, und deswegen kaum ein anderes ihm vergleichbar.

Eigentlichster Wert der sogenannten Volkslieder ist der, daß ihre Motive unmittelbar von der Natur genommen sind. Dieses Vorteils aber könnte der gebildete Dichter sich auch bedienen, wenn er es verstünde.

Hiebei aber haben jene immer das voraus, daß natürliche Menschen sich besser auf den Lakonismus verstehen als eigentlich Gebildete.

Shakespear ist für aufkeimende Talente gefährlich zu lesen; er nötigt sie, ihn zu reproduzieren, und sie bilden sich ein, sich selbst zu produzieren.

Über Geschichte kann niemand urteilen als wer an sich selbst Geschichte erlebt hat. So geht es ganzen Nationen. Die Deutschen können erst über Literatur urteilen, seitdem sie selbst eine Literatur haben.

Man ist nur eigentlich lebendig, wenn man sich des Wohlwollens andrer freut.

Frömmigkeit ist kein Zweck, sondern ein Mittel, um durch die reinste Gemütsruhe zur höchsten Kultur zu gelangen.

Deswegen läßt sich bemerken, daß diejenigen welche Frömmigkeit als Zweck und Ziel aufstecken meistens Heuchler werden.

Wer sich mit reiner Erfahrung begnügt und darnach handelt, der hat wahres genug. Das heranwachsende Kind ist weise in diesem Sinne.

Erfüllte Pflicht empfindet sich immer noch als Schuld, weil man sich nie ganz genug getan.

Die Mängel erkennt nur der Lieblose; deshalb, um sie einzusehen, muß man auch lieblos werden, aber nicht mehr als hiezu nötig ist.

Das höchste Glück ist das, welches unsere Mängel verbessert und unsere Fehler ausgleicht.

Kannst du lesen, so sollst du verstehen; kannst du schreiben, so mußt du etwas wissen; kannst du glauben, so sollst du begreifen; wenn du begehrst, wirst du sollen; wenn du forderst, wirst du nicht erlangen; und wenn du erfahren bist, sollst du nutzen.

Man erkennt niemand an als den der uns nutzt. Wir erkennen den Fürsten an, weil wir unter seiner Firma den Besitz gesichert sehen. Wir gewärtigen uns von ihm Schutz gegen äußere und innere widerwärtige Verhältnisse.

Der Bach ist dem Müller befreundet, dem er nutzt, und er stürzt gern über die Räder; was hilft es ihm, gleichgültig durch's Tal hinzuschleichen.

»Wenn man alt ist muß man mehr tun als da man jung war.«

Die Theorie an und für sich ist nichts nütze, als in so fern sie uns an den Zusammenhang der Erscheinungen glauben macht.

Alles Abstrakte wird durch Anwendung dem Menschenverstand genähert, und so gelangt der Menschenverstand durch Handeln und Beobachten zur Abstraktion.

Wer zuviel verlangt, wer sich am Verwickelten erfreut, der ist den Verirrungen ausgesetzt.

Nach Analogien denken ist nicht zu schelten; die Analogie hat den Vorteil daß sie nicht abschließt und eigentlich nichts Letztes will; dagegen die Induktion verderblich ist, die einen vorgesetzten Zweck im Auge trägt und, auf denselben losarbeitend, Falsches und Wahres mit sich fortreißt.

Gewöhnliches Anschauen, richtige Ansicht der irdischen Dinge, ist ein Erbteil des allgemeinen Menschenverstandes. *Reines* Anschauen des Äußern und Innern ist sehr selten.

Es äußert sich jenes im praktischen Sinn, im unmittelbaren Handeln; dieses symbolisch, vorzüglich durch Mathematik, in Zahlen und Formeln, durch Rede, uranfänglich, tropisch, als Poesie des Genie's, als Sprichwörtlichkeit des Menschenverstandes.

Das Abwesende wirkt auf uns durch Überlieferung. Die gewöhnliche ist historisch zu nennen; eine höhere, der Einbildungskraft verwandte, ist mythisch. Sucht man hinter dieser noch etwas Drittes, irgend eine Bedeutung, so verwandelt sie sich in Mystik. Auch wird sie leicht sentimental, so daß wir uns nur was gemütlich ist aneignen.

Die Wirksamkeiten auf die wir achten müssen, wenn wir wahrhaft gefördert sein wollen, sind:

Vorbereitende,
Begleitende,
Mitwirkende,
Nachhelfende,
Fördernde,
Verstärkende,
Hindernde,
Nachwirkende.

Im Betrachten, wie im Handeln, ist das Zugängliche von dem Unzugänglichen zu unterscheiden; ohne dies läßt sich im Leben wie im Wissen wenig leisten.

»Le sens commun est le Génie de l'humanité.«

Der Gemein-Verstand, der als Genie der Menschheit gelten soll, muß vorerst in seinen Äußerungen betrachtet werden. Forschen wir, wozu ihn die Menschheit benutzt, so finden wir folgendes:

Die Menschheit ist bedingt durch Bedürfnisse. Sind diese nicht befriedigt, so erweis't sie sich ungeduldig; sind sie befriedigt, so erscheint sie gleichgültig. Der eigentliche Mensch bewegt sich also zwischen beiden Zuständen; und seinen Verstand, den sogenannten Menschenverstand, wird er anwenden seine Bedürfnisse zu befriedigen; ist es geschehen, so hat er die Aufgabe, die Räume der Gleichgültigkeit auszufüllen. Beschränkt sich dieses in die nächsten und notwendigsten Grenzen, so gelingt es ihm auch. Erheben sich aber die Bedürfnisse, treten sie aus dem Kreise des Gemeinen heraus, so ist der Gemein-Verstand nicht mehr hinreichend, er ist kein Genius mehr, die Region des Irrtums ist der Menschheit aufgetan.

Es geschieht nichts Unvernünftiges, das nicht Verstand oder Zufall wieder in die Richte brächten; nichts Vernünftiges, das Unverstand und Zufall nicht mißleiten könnten.

Jede große Idee, sobald sie in die Erscheinung tritt, wirkt tyrannisch; daher die Vorteile die sie hervorbringt, sich nur allzubald in Nachteile verwandeln. Man kann deshalb eine jede Institution verteidigen und rühmen, wenn man an ihre Anfänge erinnert und darzutun weiß, daß alles was von ihr im Anfange gegolten, auch jetzt noch gelte.

Lessing, der mancherlei Beschränkung unwillig fühlte, läßt eine seiner Personen sagen: niemand muß müssen. Ein geistreicher frohgesinnter Mann sagte: wer will, der muß. Ein dritter, freilich ein Gebildeter, fügte hinzu: Wer einsieht, der will auch. Und so glaubte man den ganzen Kreis des Erkennens, Wollens und Müssens abgeschlossen zu haben. Aber im Durchschnitt bestimmt die Erkenntnis des Menschen, von welcher Art sie auch sei, sein Tun und Lassen; deswegen auch nichts schrecklicher ist, als die Unwissenheit handeln zu sehen.

Es gibt zwei friedliche Gewalten: das Recht und die Schicklichkeit.

Das Recht dringt auf Schuldigkeit, die Polizei auf's Geziemende. Das Recht ist abwägend und entscheidend, die Polizei überschauend und gebietend. Das Recht bezieht sich auf den Einzelnen, die Polizei auf die Gesamtheit.

Die Geschichte der Wissenschaften ist eine große Fuge, in der die Stimmen der Völker nach und nach zum Vorschein kommen.

Man kann in den Naturwissenschaften über manche Probleme nicht gehörig sprechen, wenn man die Metaphysik nicht zu Hülfe ruft; aber nicht jene Schul- und Wortweisheit; es ist dasjenige was vor, mit und nach der Physik war, ist und sein wird.

Autorität, daß nämlich etwas schon einmal geschehen, gesagt oder entschieden worden sei, hat großen Wert; aber nur der Pedant fordert überall Autorität.

Altes Fundament ehrt man, darf aber das Recht nicht aufgeben, irgendwo wieder einmal von vorn zu gründen.

Beharre wo du stehst! – Maxime, notwendiger als je, indem einerseits die Menschen in große Parteien gerissen werden; sodann aber auch jeder Einzelne nach individueller Einsicht und Vermögen sich geltend machen will.

Man tut immer besser, daß man sich grad ausspricht wie man denkt, ohne viel beweisen zu wollen: denn alle Beweise die wir vorbringen sind doch nur Variationen unserer Meinungen, und die Widriggesinnten hören weder auf das Eine noch auf das Andere.

Da ich mit der Naturwissenschaft, wie sie sich von Tag zu Tage vorwärts bewegt, immer mehr bekannt und verwandt werde, so dringt sich mir gar manche Betrachtung auf: über die Vor- und Rückschritte, die zu gleicher Zeit geschehen. Eines nur sei hier ausgesprochen: *daß wir sogar anerkannte Irrtümer aus der Wissenschaft nicht los werden.* Die Ursache hievon ist ein offenbares Geheimnis.

Einen Irrtum nenn' ich, wenn irgend ein Ereignis falsch ausgelegt, falsch angeknüpft, falsch abgeleitet wird. Nun ereignet sich aber im Gange des Erfahrens und Denkens, daß eine Erscheinung folgerecht angeknüpft, richtig abgeleitet wird. Das läßt man sich wohl gefallen, legt aber keinen besonderen Wert darauf und läßt den Irrtum ganz ruhig daneben liegen; und ich kenne ein kleines Magazin von Irrtümern die man sorgfältig aufbewahrt.

Da nun den Menschen eigentlich nichts interessiert als seine Meinung, so sieht jedermann, der eine Meinung vorträgt, sich rechts und links nach Hülfsmitteln um, damit er sich und andere bestärken möge. Des Wahren bedient man sich so lange es brauchbar ist, aber leidenschaftlich rhetorisch ergreift man das Falsche, sobald man es für den Augenblick nutzen, damit, als einem Halbargumente, blenden, als mit einem Lückenbüßer das Zerstückelte scheinbar vereinigen kann. Dieses zu erfahren war mir erst ein Ärgernis, dann betrübte ich mich darüber, und nun macht es mir Schadenfreude. Ich habe mir das Wort gegeben ein solches Verfahren niemals wieder aufzudecken.

Jedes Existierende ist ein Analogon alles Existierenden; daher erscheint uns das Dasein immer zu gleicher Zeit gesondert und verknüpft. Folgt man der Analogie zu sehr, so fällt alles identisch zusammen; meidet man sie, so zerstreut sich alles in's Unendliche. In beiden Fällen stagniert die Betrachtung, einmal als überlebendig, das andere Mal als getötet.

Die Vernunft ist auf das Werdende, der Verstand auf das Gewordene angewiesen; jene bekümmert sich nicht: wozu? dieser fragt nicht: woher? – Sie erfreut sich am Entwickeln; er wünscht alles festzuhalten, damit er es nutzen könne.

Es ist eine Eigenheit dem Menschen angeboren und mit seiner Natur innigst verwebt: daß ihm zur Erkenntnis das Nächste nicht genügt; da doch jede Erscheinung die wir selbst gewahr werden, im Augenblick das Nächste ist, und wir von ihr fordern können, daß sie sich selbst erkläre, wenn wir kräftig in sie dringen.

Das werden aber die Menschen nicht lernen, weil es gegen ihre Natur ist; daher die Gebildeten es selbst nicht lassen können, wenn sie an Ort und Stelle irgend ein Wahres erkannt haben, es nicht nur mit dem Nächsten, sondern auch mit dem Weitesten und Fernsten zusammen zu hängen, woraus denn Irrtum über Irrtum entspringt. Das nahe Phänomen hängt aber mit dem fernen nur in dem Sinne zusammen, daß sich alles auf wenige große Gesetze bezieht die sich überall manifestieren.

Was ist das Allgemeine?
Der einzelne Fall.
Was ist das Besondere?
Millionen Fälle.

Die Analogie hat zwei Verirrungen zu fürchten: einmal sich dem Witz hinzugeben, wo sie in Nichts zerfließt; die andere, sich mit Tropen und Gleichnissen zu umhüllen, welches jedoch weniger schädlich ist.

Weder Mythologie noch Legenden sind in der Wissenschaft zu dulden. Lasse man diese den Poeten, die berufen sind sie zu Nutz und Freude der Welt zu behandeln. Der wissenschaftliche Mann beschränke sich auf die nächste klarste Gegenwart. Wollte derselbe jedoch gelegentlich als Rhetor auftreten, so sei ihm jenes auch nicht verwehrt.

Um mich zu retten betrachte ich alle Erscheinungen als unabhängig von einander und suche sie gewaltsam zu isolieren; dann betrachte ich sie als Korrelate, und sie verbinden sich zu einem entschiedenen Leben. Dies bezieh' ich vorzüglich auf Natur; aber auch in Bezug auf die neueste um uns her bewegte Weltgeschichte ist diese Betrachtungsweise fruchtbar.

Alles was wir Erfinden, Entdecken im höheren Sinne nennen, ist die bedeutende Ausübung, Betätigung eines originalen Wahrheitsgefühles, das, im stillen längst ausgebildet, unversehens mit Blitzesschnelle zu einer fruchtbaren Erkenntnis führt. Es ist eine aus dem Innern am Äußern sich entwickelnde Offenbarung, die den Menschen seine Gottähnlichkeit vorahnen läßt. Es ist eine Synthese von Welt und Geist, welche von der ewigen Harmonie des Daseins die seligste Versicherung gibt.

Der Mensch muß bei dem Glauben verharren, daß das Unbegreifliche begreiflich sei; er würde sonst nicht forschen.

Begreiflich ist jedes Besondere das sich auf irgend eine Weise anwenden läßt. Auf diese Weise kann das Unbegreifliche nützlich werden.

Es gibt eine zarte Empirie, die sich mit dem Gegenstand innigst identisch macht, und dadurch zur eigentlichen Theorie wird. Diese Steigerung des geistigen Vermögens aber gehört einer hochgebildeten Zeit an.

Am widerwärtigsten sind die kricklichen Beobachter und grilligen Theoristen; ihre Versuche sind kleinlich und kompliziert, ihre Hypothesen abstrus und wunderlich.

Es gibt Pedanten, die zugleich Schelme sind, und das sind die allerschlimmsten.

Um zu begreifen, daß der Himmel überall blau ist, braucht man nicht um die Welt zu reisen.

Das Allgemeine und Besondere fallen zusammen; das Besondere ist das Allgemeine, unter verschiedenen Bedingungen erscheidend.

Man braucht nicht alles selbst gesehen noch erlebt zu haben; willst du aber dem andern und seinen Darstellungen vertrauen, so denke, daß du es nun mit dreien zu tun hast, mit dem Gegenstand und zwei Subjekten.

Grundeigenschaft der lebendigen Einheit: sich zu trennen, sich zu vereinen, sich in's Allgemeine zu ergehen, im Besondern zu verharren, sich zu verwandeln, sich zu spezifizieren, und wie das Lebendige unter tausend Bedingungen sich dartun mag, hervorzutreten und zu verschwinden, zu solideszieren und zu schmelzen, zu erstarren und zu fließen, sich auszudehnen und sich zusammen zu ziehen. Weil nun alle diese Wirkungen im gleichen Zeitmoment zugleich vorgehen, so kann alles und jedes zu gleicher Zeit eintreten. Entstehen und Vergehen, Schaffen und Vernichten, Geburt und Tod, Freud und Leid, alles wirkt durch einander, in gleichem Sinn und gleicher Maße, deswegen denn auch das Besonderste, das sich ereignet, immer als Bild und Gleichnis des Allgemeinsten auftritt.

Ist das ganze Dasein ein ewiges Trennen und Verbinden, so folgt auch daß die Menschen im Betrachten des ungeheuren Zustandes auch bald trennen, bald verbinden werden.

Als getrennt muß sich darstellen: Physik von Mathematik. Jene muß in einer entschiedenen Unabhängigkeit bestehen und mit allen liebenden, verehrenden, frommen Kräften in die Natur und das heilige Leben derselben einzudringen suchen, ganz unbekümmert was die Mathematik von ihrer Seite leistet und tut. Diese muß sich dagegen unabhängig von allem Äußern erklären, ihren eigenen großen Geistesgang gehen und sich selber reiner ausbilden als es geschehen kann, wenn sie wie bisher sich mit dem Vorhandenen abgibt, und diesem etwas abzugewinnen oder anzupassen trachtet.

In der Naturforschung bedarf es eines kategorischen Imperativs so gut als im Sittlichen! nur bedenke man, daß man dadurch nicht am Ende, sondern erst am Anfang ist.

Das Höchste wäre, zu begreifen, daß alles Faktische schon Theorie ist. Die Bläue des Himmels offenbart uns das Grundgesetz der Chromatik. Man suche nur nichts hinter den Phänomenen; sie selbst sind die Lehre.

In den Wissenschaften ist viel Gewisses, sobald man sich von den Ausnahmen nicht irre machen läßt und die Probleme zu ehren weiß.

Wenn ich mich bei'm Urphänomen zuletzt beruhige, so ist es doch auch nur Resignation; aber es bleibt ein großer Unterschied, ob ich mich an den Grenzen der Menschheit resigniere oder innerhalb einer hypothetischen Beschränktheit meines bornierten Individuums.

Wenn man die Probleme des Aristoteles ansieht, so erstaunt man über die Gabe des Bemerkens und für was alles die Griechen Augen gehabt haben. Nur begehen sie den Fehler der Übereilung, da sie von dem Phänomen unmittelbar zur Erklärung schreiten, wodurch denn ganz unzulängliche theoretische Aussprüche zum Vorschein kommen. Dieses ist jedoch der allgemeine Fehler der noch heut zu Tage begangen wird.

Hypothesen sind Wiegenlieder womit der Lehrer seine Schüler einlullt; der denkende treue Beobachter lernt immer mehr seine Beschränkung kennen, er sieht, je weiter sich das Wissen ausbreitet, desto mehr Probleme kommen zum Vorschein.

Unser Fehler besteht darin, daß wir am Gewissen zweifeln und das Ungewisse fixieren möchten. Meine Maxime bei der Naturforschung ist: das Gewisse festzuhalten und dem Ungewissen aufzupassen.

Läßliche Hypothese nenn' ich eine solche, die man gleichsam schalkhaft aufstellt, um sich von der ernsthaften Natur widerlegen zu lassen.

Wie wollte einer als Meister in seinem Fach erscheinen, wenn er nichts Unnützes lehrte.

Das Närrischste ist, daß jeder glaubt überliefern zu müssen was man gewußt zu haben glaubt.

Weil zum didaktischen Vortrag Gewißheit verlangt wird, indem der Schüler nichts Unsicheres überliefert haben will, so darf der Lehrer kein Problem stehen lassen und sich etwa in einiger Entfernung da herumbewegen. Gleich muß etwas bestimmt sein, (bepaalt sagt der Holländer) und nun glaubt man eine Weile den unbekannten Raum zu besitzen bis ein anderer die Pfähle wieder ausreißt, und sogleich enger oder weiter abermals wieder bepfählt.

Lebhafte Frage nach der Ursache, Verwechselung von Ursache und Wirkung, Beruhigung in einer falschen Theorie sind von großer nicht zu entwickelnder Schädlichkeit.

Wenn mancher sich nicht verpflichtet fühlte das Unwahre zu wiederholen, weil er's einmal gesagt hat, so wären es ganz andre Leute geworden.

Das Falsche hat den Vorteil, daß man immer darüber schwätzen kann, das Wahre muß gleich genutzt werden, sonst ist es nicht da.

Wer nicht einsieht wie das Wahre praktisch erleichtert, mag gern daran mäkeln und häkeln, damit er nur sein irriges mühseliges Treiben einigermaßen beschönigen könne.

Die Deutschen, und sie nicht allein, besitzen die Gabe die Wissenschaften unzugänglich zu machen.

Der Engländer ist Meister das Entdeckte gleich zu nutzen, bis es wieder zu neuer Entdeckung und frischer Tat führt. Man frage nun, warum sie uns überall voraus sind?

Der denkende Mensch hat die wunderliche Eigenschaft, daß er an die Stelle, wo das unaufgelös'te Problem liegt, gerne ein Phantasiebild hinfabelt, das er nicht los werden kann, wenn das Problem auch aufgelös't und die Wahrheit am Tage ist.

Es gehört eine eigene Geisteswendung dazu, um das gestaltlose Wirkliche in seiner eigenstens Art zu fassen und es von

Hirngespinsten zu unterscheiden, die sich denn doch auch mit einer gewissen Wirklichkeit lebhaft aufdringen.

Bei Betrachtung der Natur im Großen wie im Kleinen hab' ich unausgesetzt die Frage gestellt: Ist es der Gegenstand oder bist du es, der sich hier ausspricht? Und in diesem Sinne betrachtete ich auch Vorgänger und Mitarbeiter.

Ein jeder Mensch sieht die fertige und geregelte, gebildete, vollkommene Welt doch nur als ein Element an, woraus er sich eine besondere ihm angemessene Welt zu erschaffen bemüht ist. Tüchtige Menschen ergreifen sie ohne Bedenken und suchen damit, wie es gehen will, zu gebaren; andere zaudern an ihr herum; einige zweifeln sogar an ihrem Dasein.

Wer sich von dieser Grundwahrheit recht durchdrungen fühlte, würde mit niemanden streiten, sondern nur die Vorstellungsart eines andern wie seine eigene als ein Phänomen betrachten. Denn wir erfahren fast täglich, daß der eine mit Bequemlichkeit denken mag, was dem andern zu denken unmöglich ist, und zwar nicht etwa in Dingen die auf Wohl und Wehe nur irgend einen Einfluß hätten, sondern in Dingen, die für uns völlig gleichgültig sind.

Man weiß eigentlich das was man weiß nur für sich selbst. Spreche ich mit einem andern von dem was ich zu wissen glaube, unmittelbar glaubt er's besser zu wissen, und ich muß mit meinem Wissen immer wieder in mich selbst zurückkehren.

Das Wahre fördert; aus dem Irrtum entwickelt sich nichts, er verwickelt uns nur.

Der Mensch findet sich mitten unter Wirkungen und kann sich nicht enthalten nach den Ursachen zu fragen; als ein bequemes Wesen greift er nach der nächsten als der besten und beruhigt sich dabei; besonders ist dies die Art des allgemeinen Menschenverstandes.

Sieht man ein Übel, so wirkt man unmittelbar darauf, d. h. man kuriert unmittelbar auf's Symptom los.

Die Vernunft hat nur über das Lebendige Herrschaft; die entstandene Welt, mit der sich die Geognosie abgibt, ist tot. Daher kann es keine Geologie geben, denn die Vernunft hat hier nichts zu tun.

Wenn ich ein zerstreutes Gerippe finde, so kann ich es zusammenlesen und aufstellen; denn hier spricht die ewige Vernunft durch ein Analogon zu mir, und wenn es das Riesenfaultier wäre.

Was nicht mehr entsteht, können wir uns als entstehend nicht denken! das Entstandene begreifen wir nicht.

Der allgemeine neuere Vulkanismus ist eigentlich ein kühner Versuch, die gegenwärtige unbegreifliche Welt an eine vergangene unbekannte zu knüpfen.

Gleiche oder wenigstens ähnliche Wirkungen werden auf verschiedene Weise durch Naturkräfte hervorgebracht.

Nichts ist widerwärtiger als die Majorität: denn sie besteht aus wenigen kräftigen Vorgängern, aus Schelmen die sich akkomodieren, aus Schwachen die sich assimilieren, und der Masse, die nachtrollt, ohne nur im mindesten zu wissen was sie will.

Die Mathematik ist, wie die Dialektik, ein Organ des inneren höheren Sinnes, in der Ausübung ist sie eine Kunst wie die Beredsamkeit. Für beide hat nichts Wert als die Form; der Gehalt ist ihnen gleichgültig. Ob die Mathematik Pfennige oder Guineen berechne, die Rhetorik Wahres oder Falsches verteidige, ist beiden vollkommen gleich.

Hier aber kommt es nun auf die Natur des Menschen an, der ein solches Geschäft betreibt, eine solche Kunst ausübt. Ein durchgreifender Advokat in einer gerechten Sache, ein durchdringender Mathematiker vor dem Sternenhimmel, erscheinen beide gleich gottähnlich.

Was ist an der Mathematik exakt als die Exaktheit? Und diese, ist sie nicht eine Folge des innern Wahrheitsgefühls?

Die Mathematik vermag kein Vorurteil wegzuheben, sie kann den Eigensinn nicht lindern, den Parteigeist nicht beschwichtigen, nichts von allem Sittlichen vermag sie.

Der Mathematiker ist nur in sofern vollkommen, als er ein vollkommener Mensch ist, als er das Schöne des Wahren in sich empfindet; dann erst wird er gründlich, durchsichtig, umsichtig, rein, klar, anmutig, ja elegant wirken. Das alles gehört dazu um La Grange ähnlich zu werden.

Nicht die Sprache an und für sich ist richtig, tüchtig, zierlich, sondern der Geist ist es der sich darin verkörpert; und so kommt es nicht auf einen jeden an, ob er seinen Rechnungen, Reden oder Gedichten die wünschenswerten Eigenschaften verleihen will; es ist die Frage, ob ihm die Natur hiezu die geistigen und sittlichen Eigenschaften verliehen hat. Die geistigen: das Vermögen der An- und Durchschauung, die sittlichen: daß er die bösen Dämonen ablehne, die ihn hindern könnten dem Wahren die Ehre zu geben.

Das Einfache durch das Zusammengesetzte, das Leichte durch das Schwierige erklären zu wollen, ist ein Unheil das in dem ganzen Körper der Wissenschaft verteilt ist, von den Einsichtigen wohl anerkannt, aber nicht überall eingestanden.

Man sehe die Physik genau durch, und man wird finden, daß die Phänomene, so wie die Versuche, worauf sie gebaut ist, verschiedenen Wert haben.

Auf die primären, die Urversuche, kommt alles an, und das Kapitel, das hierauf gebaut ist, steht sicher und fest; aber es gibt auch sekundäre, tertiäre usw. Gesteht man diesen das gleiche Recht zu, so verwirren sie nur das was von den ersten aufgeklärt war.

Ein großes Übel in den Wissenschaften, ja überall, entsteht daher, daß Menschen, die kein Ideenvermögen haben, zu theoretisieren sich vermessen, weil sie nicht begreifen, daß noch so vieles Wissen hiezu nicht berechtigt. Sie gehen im Anfange wohl mit einem löblichen Menschenverstand zu Werke, dieser aber hat seine Grenzen, und wenn er sie überschreitet kommt er in Gefahr absurd zu werden. Des Menschenverstandes angewiesenes Gebiet und Erbteil ist der Bezirk des Tuns und Handelns. Tätig wird er sich selten verirren; das höhere Denken, Schließen und Urteilen jedoch ist nicht seine Sache.

Die Erfahrung nutzt erst der Wissenschaft, sodann schadet sie, weil die Erfahrung Gesetz und Ausnahme gewahr werden läßt. Der Durchschnitt von beiden gibt keineswegs das Wahre.

Man sagt: zwischen zwei entgegengesetzten Meinungen liege die Wahrheit mitten inne. Keineswegs! Das Problem liegt dazwischen, das Unschaubare, das ewig tätige Leben in Ruhe gedacht.

Kein Wesen kann zu nichts zerfallen,
Das Ew'ge regt sicht fort in allen,
Am Sein erhalte dich beglückt!
Das Sein ist ewig, denn Gesetze
Bewahren die lebend'gen Schätze
Aus welchen sich das All geschmückt.

Das Wahre war schon längst gefunden,
Hat edle Geisterschaft verbunden,
Das alte Wahre fass' es an.
Verdank' es, Erdensohn, dem Weisen
Der ihr die Sonne zu umkreisen
Und dem Geschwister wies die Bahn.

Sofort nun wende dich nach innen,
Das Zentrum findest du da drinnen,
Woran kein Edler zweifeln mag.
Wirst keine Regel da vermissen,
Denn das selbstständige Gewissen
Ist Sonne deinem Sittentag.

Den Sinnen hast du dann zu trauen,
Kein Falsches lassen sie dich schauen,
Wenn dein Verstand dich wach erhält.
Mit frischem Blick bemerke freudig,
Und wandle, sicher wie geschmeidig,
Durch Auen reichbegabter Welt.

Genieße mäßig Füll' und Segen,
Vernunft sei überall zugegen
Wo Leben sich des Lebens freut.
Dann ist Vergangenheit beständig,
Das Künftige voraus lebendig,
Der Augenblick ist Ewigkeit.

Und war es endlich dir gelungen,
Und bist du vom Gefühl durchdrungen:
Was fruchtbar ist allein ist wahr;
Du prüfst das allgemeine Walten,
Es wird nach seiner Weise schalten,
Geselle dich zur kleinsten Schar.

Und wie von Alters her, im stillen,
Ein Liebewerk, nach eignem Willen,
Der Philosoph, der Dichter schuf;
So wirst du schönste Gunst erzielen:
Denn edlen Seelen vorzufühlen
Ist wünschenswertester Beruf.

GOTT UND WELT

Weite Welt und breites Leben,
Langer Jahre redlich Streben,
Stets geforscht und stets gegründet,
Nie geschlossen, oft geründet,
Ältestes bewahrt mit Treue,
Freundlich aufgefaßtes Neue,
Heitern Sinn und reine Zwecke:
Nun! man kommt wohl eine Strecke.

(1817)

Zum Sehen geboren,
Zum Schauen bestellt,
Dem Turme geschworen,
Gefällt mir die Welt.
Ich blick in die Ferne,
Ich seh in der Näh,
Den Mond und die Sterne,
Den Wald und das Reh.
So seh ich in allen
Die ewige Zier,
Und wie mir's gefallen,
Gefall ich auch mir.
Ihr glücklichen Augen,
Was je ihr gesehn,
Es sei wie es wolle,
Es war doch so schön!

(Faust II, 5, Palast. Tiefe Nacht;
V. 11288-11303)

DAS GÖTTLICHE

Edel sei der Mensch,
Hülfreich und gut!
Denn das allein
Unterscheidet ihn
Von allen Wesen,
Die wir kennen.

Heil den unbekannten
Höhern Wesen,
Die wir ahnen!
Ihnen gleiche der Mensch;
Sein Beispiel lehr' uns
Jene glauben.

Denn unfühlend
Ist die Natur:
Es leuchtet die Sonne
Über Bös' und Gute,
Und dem Verbrecher,
Glänzen, wie dem Besten,
Der Mond und die Sterne.

Wind und Ströme,
Donner und Hagel
Rauschen ihren Weg,
Und ergreifen,
Vorüber eilend,
Einen um den andern.

Auch so das Glück
Tappt unter die Menge,
Faßt bald des Knaben
Lockige Unschuld,
Bald auch den kahlen
Schuldigen Scheitel.

Nach ewigen, ehrnen,
Großen Gesetzen
Müssen wir alle
Unseres Daseins
Kreise vollenden.

Nur allein der Mensch
Vermag das Unmögliche:
Er unterscheidet,
Wählet und richtet;
Er kann dem Augenblick
Dauer verleihen.

Er allein darf
Den Guten lohnen,
Den Bösen strafen,
Heilen und retten,
Alles Irrende, Schweifende
Nützlich verbinden.

Und wir verehren
Die Unsterblichen,
Als wären sie Menschen,
Täten im Großen,

Was der Beste im Kleinen
Tut oder möchte.

Der edle Mensch
Sei hülfreich und gut!
Unermüdet schaff' er
Das Nützliche, Rechte,
Sei uns ein Vorbild
Jener geahneten Wesen!

(1783)

GRENZEN DER MENSCHHEIT

Wenn der uralte,
Heilige Vater
Mit gelassener Hand
Aus rollenden Wolken
Segnende Blitze
Über die Erde sät,
Küss' ich den letzten
Saum seines Kleides,
Kindliche Schauer
Treu in der Brust.

Denn mit Göttern
Soll sich nicht messen
Irgend ein Mensch.
Hebt er sich aufwärts,
Und berührt
Mit dem Scheitel die Sterne,

Nirgends haften dann
Die unsichern Sohlen,
Und mit ihm spielen
Wolken und Winde.

Steht er mit festen,
Markigen Knochen
Auf der wohlgegründeten,
Dauernden Erde;
Reicht er nicht auf,
Nur mit der Eiche
Oder der Rebe
Sich zu vergleichen.

Was unterscheidet
Götter von Menschen?
Daß viele Wellen
Vor jenen wandeln,
Ein ewiger Strom:
Uns hebt die Welle,
Verschlingt die Welle,
Und wir versinken.

Ein kleiner Ring
Begrenzt unser Leben,
Und viele Geschlechter
Reihen sich dauernd
An ihres Daseins
Unendliche Kette.

(Um 1780/81)

UNBEGRENZT

Daß du nicht enden kannst das macht dich groß,
Und daß du nie beginnst das ist dein Los.
Dein Lied ist drehend wie das Sterngewölbe,
Anfang und Ende immerfort dasselbe,
Und was die Mitte bringt ist offenbar
Das was zu Ende bleibt und anfangs war.

Du bist der Freuden echte Dichterquelle,
Und ungezählt entfließt dir Well auf Welle.
Zum Küssen stets bereiter Mund,
Ein Brustgesang der lieblich fließet,
Zum Trinken stets gereizter Schlund,
Ein gutes Herz das sich ergießet.

Und mag die ganze Welt versinken,
Hafis, mit dir, mit dir allein
Will ich wetteifern! Lust und Pein
Sei uns, den Zwillingen, gemein!
Wie du zu lieben und zu trinken,
Das soll mein Stolz, mein Leben sein.

Nun töne, Lied, mit eignem Feuer!
Denn du bist älter, du bist neuer.

(West-östlicher Divan. 1815)

NACHWORT

UNSERE »WUNDERLICHE LAGE«

von Siegfried Unseld

Unsere deutsche Zeit ist gegenwärtig bestimmt durch ein Innehalten, ein Nachdenken, durch das Nachdenken über Gerechtigkeit, über Wohlstand und Armut, über Arbeit und Arbeitslosigkeit, über Ausländer und Ausländerfeindlichkeit. Insbesondere letzteres ist ein brennender Punkt unserer deutschen Gegenwart. Wie gehen wir mit Ausländern um? Ein ganz praktisches Problem unseres Alltags, denn wir begegnen ihnen immer – im Berufsleben, im Verkehr, beim Reisen, als Nachbarn, als Mitpatienten im Krankenhaus oder Warteraum, wir begegnen ihren Kindern im Kindergarten und in der Schule. Befinden wir uns, wie Goethe es »in einer Stadt wie Frankfurt« sah, in jener »wunderlichen Lage«: »Immer sich kreuzende Fremde deuten nach allen Weltgegenden hin und erwecken Reiselust«?

Sind »die Fremden« inzwischen wirklich unsere Nachbarn geworden? Kann uns Goethe helfen, unsere heutige »wunderliche Lage« zu begreifen? Einen Versuch dazu will die vorliegende Auswahl geben; Goethe als unser Zeitgenosse, der über Fremdes und Eigenes reflektiert. Goethe hatte manchmal seine liebe Not mit seinen »lieben Deutschen«, von denen er sich nicht verstanden und nicht geliebt fühlte: »Deutschland? Aber wo liegt es? Ich weiß das Land nicht zu finden, / Wo das gelehrte beginnt, hört das politische auf.« Und: »Auch liegt mir Deutschland warm am Herzen. Ich habe oft einen bittern Schmerz empfunden bei dem Gedanken an das deutsche Volk, das so achtbar im einzelnen und so miserabel im ganzen ist.« Das Achtbare im einzelnen hat er immer wieder betont; das Streben nach der Tat, das Ernste und

Anspruchsvolle, aber dann eben auch das Miserable im ganzen, mit den Eigenschaften: unbeherrscht, rachsüchtig, unhöflich, intolerant, ungerecht. Goethe versuchte ein Leben lang, sich von den Eigenschaften frei zu machen, an denen die Deutschen kranken. Und doch fühlte er sich am Ende seines Lebens glücklich, einer der »ihrigen« zu sein. Er hat sich solchen »Vorzug« erarbeitet, da er »weder Blick noch Schritt in fremde Lande getan, als in der Absicht, das allgemein Menschliche, was über den ganzen Erdboden verbreitet und verteilt ist, unter den verschiedensten Formen kennenzulernen und solches in meinem Vaterlande wiederzufinden, anzuerkennen, zu fördern«. Und dann fährt er fort: »Denn es ist einmal die Bestimmung des Deutschen, sich zum Repräsentanten der sämtlichen Weltbürger zu erheben.« Gewiß ist solches heute nicht mehr unsere Absicht, aber – und dies geht aus der Beschäftigung mit Goethes Schriften hervor – es tut not, uns zu vergegenwärtigen, was das Ausländische für uns bedeuten kann. Und wer sich mit Goethe beschäftigt, macht immer wieder die Erfahrung, daß für fast jedes Problem stets ein neuer Aspekt, eine neue Perspektive sich zeigt. So ist das Ausländische für Goethe auch das Unbekannte, das Fremde, das Andere im metaphysischen Sinn. Unsere Auswahl will dies beleuchten; sie beginnt mit der Aufforderung, den Gruß des Unbekannten zu ehren, mit der Erinnerung, daß wir uns alle gleichen, »denn wir sind Eines Geschlechtes«, mit der Einsicht über »das Höchste, wozu der Mensch gelangen kann« – nämlich das Erkennen seiner selbst und dadurch das Erkennen des anderen. Über die »Fremdheit« wird gehandelt; ein neuer, fremder Mensch beunruhigt zunächst seine Umgebung, weil er ihr klarmacht, was sie nicht hat; die »Urworte. Orphisch« belegen, wie solche Grenze zu »entriegeln« ist. Über das »Reisen«: Im »fremden Lande« würde man am besten des Eigenen gewahr. »Die Existenzen fremder Menschen sind die besten Spiegel, worin wir die unsrige erkennen können.« Später vertrat der besuchende Fremde das Reisen, das sich das Alter nicht mehr zumuten darf. »Fremde Sprachen«: »Wer fremde Sprachen nicht kennt, weiß nichts von seiner eigenen.« Goethe vergleicht immer wieder den deutschen Nationalcharakter mit dem anderer Länder: Da der Deutsche sich wohl vergebens zur ›Nation‹ zu bilden hofft, sollte sein Anliegen sein, durch Kenntnis eigener und fremder nationaler Egoismen sich selbst ›freier zum Menschen‹ zu bilden, ›hilfreich und gut‹ zu werden.

Und dann Goethes ganz eigene Prognose: »Nationalliteratur will jetzt nicht viel sagen; die Epoche der Weltliteratur ist an der Zeit, und jeder muß jetzt dazu wirken, diese Epoche zu beschleunigen.« Nur eine solche Entwicklung hülfe, Frieden zu schaffen. Die Hoffnung läßt sich nicht erfüllen, aber die Utopie bleibt.

Warum lesen wir heute, 160 Jahre nach seinem Tod, immer noch in Goethes Werken? Warum kehren wir immer wieder zu ihm zurück? Sicher, wir können seine Erkenntnisse und Erfahrungen zu unserer eigenen Legitimation und auch zur Lösung unserer alltäglichen Probleme gebrauchen. »Gegen große Vorzüge *eines Andern*«, so die Summe seiner Einsichten über das Ausländische, das Fremde, das Andere, »gibt es kein Rettungsmittel als die Liebe.« Goethe hat sein Leben als Lebenskunstwerk gelebt, hat Großes geleistet. »Das wahre Große«, schrieb er in den »Wanderjahren«, »hebt uns über uns selbst hinaus und leuchtet uns vor wie ein Stern.« »Über uns selbst hinaus«, aber ich meine, zuallererst führt er uns zu uns selbst hin.

Abkürzungen: BA: Goethe. Berliner Ausgabe. Hg. von Siegfried Seidel. 22 Bde. und 1 Erg.-Bd. Berlin und Weimar 1960-1978. – *C*[1], *C*[3]: Goethe: Sämtliche Werke. Ausgabe letzter Hand (C[1]: sogen. ›Taschenausgabe‹; C[3]: Oktavausgabe). – *DjG:* Der junge Goethe. Hg. von Hanna Fischer-Lamberg. 5 Bde. und Register-Bd. Berlin 1963-1973. – *DWb:* Deutsches Wörterbuch von Jacob und Wilhelm Grimm. 16 Bde. 1864-1954. – *FA:* J. W. Goethe: Sämtliche Werke, Briefe, Tagebücher und Gespräche. 40 Bde. in 2 Abt. Frankfurt a. M. 1985 ff. (›Frankfurter Ausgabe‹). – *G:* Goethes Gespräche ⟨...⟩. Hg. von Wolfgang Herwig. 5 Bde. (in 6). Zürich und Stuttgart 1965-1987. – *GJb:* Goethejahrbuch. – *Grumach:* Kanzler Friedrich von Müller: Unterhaltungen mit Goethe. Hg. von Renate Grumach. Weimar 1982. – *HA:* Goethes Werke. Hamburger Ausgabe in 14 Bdn. Hg. von Erich Trunz. Hamburg 1948-1964 (neue Aufl. seit 1972: München). – *Hecker:* Goethe. Maximen und Reflexionen. Hg. von Max Hecker. Weimar 1907. – *Hs./Hss./hs.:* Handschrift(en), handschriftlich. – *MA:* J. W. Goethe. Sämtliche Werke nach Epochen seines Schaffens. Münchner Ausgabe. Hg. von Karl Richter. 26 Bde. München 1985 ff. – *WA:* Goethes Werke. Hg. im Auftrage der Großherzogin Sophie von Sachsen. Abt. I-IV. 133 Bde. (in 143). Weimar 1887-1919 (›Weimarer Ausgabe‹). – *Weitz:* Goethe. West-östlicher Divan. Hg. und erläutert von Hans-J. Weitz. Frankfurt a. M. 1981. – *Zs.:* Zeitschrift.

Die Orthographie der Texte ist unter Wahrung des Lautstandes sowie der Groß- und Kleinschreibung, Getrennt- und Zusammenschreibung modernisiert. In die Interpunktion der Vorlagen wurde nicht eingegriffen.

7 *Den Gruß des Unbekannten: West-östlicher Divan* (›Neuer Divan‹ 1819-1827): »Tefkir Nameh – Buch der Betrachtungen« (Weitz, S. 38). Jena, 11./12. Juli 1819; Druck: 1827. Dazu Weitz, S. 310: »An den preußischen General ⟨August⟩ Graf Gneisenau ⟨1760-1831⟩. Er hatte ⟨...⟩ während des Schlesischen Feldlagers 1790 sich dem verehrten Dichter vorgestellt, für diesen nur einer von vielen ›mitten

in der bewegtesten Welt‹. ⟨…1819⟩ erwähnte Gneisenau, damals Generalgouverneur der Stadt ⟨Berlin⟩, jener frühen Begegnung, und auf Ottiliens ⟨v. Goethe⟩ Betreiben schrieb er einen Brief an Goethe. Dessen Verse ⟨…⟩ sind ›Erwiderung, Erinnerung, Entschuldigung, Dank und was nicht alles zugleich‹ (Goethe an Ottilie, 12. Juli 1819)«. Vgl. auch den Kommentar in FA I 3/2, S. 1599-1602 (Birus).

11 *Und wir giengen:* »am 12. Au⟨gust 1771⟩«; FA I 8, S. 102 (Werther über sein Gespräch mit Albert).

Alle gleichen wir: Nach der Hs. im Goethe-Museum Düsseldorf (vgl. FA I 1, S. 269 und 994 f.); Adressat unbekannt.

Man weiß erst: J. W. Goethe: Biefe an Auguste Gräfin zu Stolberg. Hg. von Jürgen Behrens. Frankfurt a. M. 1983, S. 12.

Es ist gut: WA I 23, S. 119 f. (Jarno zu Wilhelm).

12 *Das Höchste:* WA I 41/1, S. 52 f. Aus dem ersten, 1813 entstandenen, zuerst im ›Morgenblatt für gebildete Stände‹ vom 12. Mai 1815 (Nr. 113) veröffentlichten Abschnitt des Aufsatzes.

Gegen große Vorzüge: II. Teil, 5. Kapitel (»Aus Ottiliens Tagebuche«); FA I 8, S. 433; vgl. *Maximen und Reflexionen* Nr. 45 (Hecker). Mit Bezug auf Schillers Brief an Goethe vom 2. Juli 1796, während der Lektüre des *Wilhelm Meister:* »Wie lebhaft habe ich bei dieser Gelegenheit erfahren, daß das Vortreffliche eine Macht ist, daß es auf selbstsüchtige Gemüter auch nur als eine Macht wirken kann, daß es, dem Vortrefflichen gegenüber keine Freiheit gibt als die Liebe« (MA 8.1, S. 187).

Reitest du: »Tefkir Nameh – Buch der Betrachtungen«; Weitz, S. 38. Frankfurt am Main, 27. Mai 1815 (am Tag der Ankunft Goethes in Frankfurt). In V. 1 wurde die in der Hs. und im Erstdruck gebrauchte Frankfurter Mundartform »e'nem« für »einem« restituiert.

15 *Was ich in meinem Haus:* FA I 2, S. 659. Erstdruck 1827.

⟨…⟩ ein scharfsichtiger Fremder: WA IV 8, S. 92. – Hier gleichnisweise auf Friedrich Schlegels Rezension der Bände 1-4 von Goethes *Werken* bezogen.

Wir lernen ⟨…⟩/Ich finde es ⟨…⟩/Wenn man dagegen: Nrn. 27-29

(Hecker). Aus den *Wahlverwandtschaften* (1809) II. Teil, 5. Kapitel (»Aus Ottiliens Tagebuche«; FA I 8, S. 431).

16 *Man wird sich dessen:* G II, S. 200 f. (Nr. 2413).

DER WANDRER: FA I 1, S. 208-214. Erstdruck 1773 im Göttinger ›Musen-Almanach 1774‹; vgl. auch die Abschrift Johann Heinrich Mercks mit Korrekturen von Goethes Hand in: DjG II, S. 233-238 (dort nach der Wiedergabe durch Max Morris).

24 *Sei mir gegrüßt:* HA 1, S. 109 f. (dort nach C^1); das Gedicht (zu dem es eine frühe Hs. Goethes ohne Überschrift mit Korrekturen Herders gibt; vgl. WA I 2, S. 331 f. und die Wiedergabe im GJb 7, 1886, S. 267-273, danach FA und MA) wurde erst 1815 von Goethe in Bd. 2 der *Werke* veröffentlicht u. d. T. »Ilmenau am 3. September 1783«; zum 26. Geburtstag des Herzogs Carl August verfaßt, enthält es Rückschau und Mahnung, auch für den Dichter, der sich in den hier abgedruckten Strophen selbst anredet und antwortet, wobei er sein bisheriges Wirken als Freund und doch Fremdling kritisch resümiert.

26 *Aber als der geistliche Herr:* HA 2, S. 512-514 (dort nach C^1); der Erstdruck (mit der Namensschreibung: Herrmann) des 1796/97 entstandenen Versepos' erschien im ›Taschenbuch für 1798‹ (Oktober 1797) bei Friedrich Vieweg in Berlin; schon am 5. Dezember 1796 hatte Goethe an Heinrich Meyer über das Gedicht geschrieben, er habe durch es »die großen Bewegungen und Veränderungen des Welttheaters aus einem kleinen Spiegel zurück zu werfen getrachtet«.

28 URWORTE. ORPHISCH: WA I 41/1, S. 215-221 (nach C^3). Die fünf Strophen (Stanzen) zu den ›heiligen Worten des Orpheus‹ (von Goethe in einer Hs. übersetzt als »Individualität, Charakter / Zufälliges / Liebe, Leidenschaft / Beschränkung, Pflicht / Hoffnung«) waren bereits am 8. Oktober 1817 ins reine geschrieben worden, wohl provoziert durch einen Gelehrtenstreit zwischen dem klass. Philologen Gottfried Hermann und dem Mythologen Georg Friedrich Creuzer über dessen These einer ›Urmythologie‹ sowie durch Georg Zoëgas Aufsatz ›Tyche und Nemesis‹ (Näheres in den Kommentaren von HA 1 und FA I 2, S. 1092-98). Zuerst gedruckt

wurden die Strophen in Goethes Zs. *Zur Morphologie* I 2 1820 (S. 97–99) (siehe die integrale Wiedergabe der ›Hefte‹ in MA 12; dort S. 91 f.; Abweichungen in den späteren Drucken!), im selben Jahr dann, mit Goethes Kommentar, in der Zs. *Über Kunst und Altertum* II 3. Unter morphologischem Aspekt kennzeichnen die *Urworte* »eine Metamorphose von Lebenskonstellationen, die sich in ihrer Abfolge gegenseitig bedingen, beginnend mit der vorgegebenen und doch entwicklungsfähigen Individualität, die sich zu befreien scheint, festgehalten wird und dann doch wieder entgrenzt wird im Hin und Her zwischen Systole und Diastole« (Dorothea Kuhn in FA I 24, S. 1068). – Aussprache der griechischen Wörter: Daímōn – Týchē – Érōs – Anánkē – Elpís.

35 SELIGE SEHNSUCHT: »Moganni Nameh – Buch des Sängers«; Weitz, S. 21. Wiesbaden, 31. Juli 1814. Vorabdruck in Cottas ›Taschenbuch für Damen auf das Jahr 1817‹ unter dem Titel *Vollendung* (Wiesbadener Register: »52. Selbstopfer«; ursprüngliche Überschrift: »Buch Sad. Gasele 1«; zur Vorlage s. FA 3/2, S. 964 f.). Zum »Buch des Sängers« Weitz, S. 300: »Der Dichter, im Aufbruch zur *Hegire*, deutet an, was ihn dazu trieb, und entwirft den Plan seiner Reise. 〈...〉 er wird beflügelt zu neuem, höchstem Aufschwung (*Selige Sehnsucht*)«.

39 *Wer das Dichten: Noten und Abhandlungen zu besserem Verständnis des West-östlichen Divans* (in der EA 1819 nur: *Besserem Verständnis*); Weitz, S. 127. Der »Einleitung« vorangestellt. »Zwei Bereiche werden hier unterschieden. Der Dichter ist in beiden daheim 〈...〉. ›Land der Dichtung‹ – das wäre das Gebiet der poetischen Phantasie, der produktiven Sprachkraft 〈...〉; ›Dichters Lande‹ aber wären, hier und für diesmal, die Länder des Orients, die er bereist« (Weitz, S. 330).

denn wer einmal: WA IV 14, S. 95 (Konzept); zu Humboldts Entschluß, nach Spanien zu gehen.

Ferner erzählte er: FA I 14, S. 40.

40 *In einer Stadt:* FA I 14, S. 785.

Hatte man: FA I 14, S. 28.

Als ich in Leipzig: FA I 14, S. 268. – »deren 〈...〉 Gestalten 〈...〉 ich

⟨…⟩ zu gefallen ging«: ›um deretwillen ich einen Gang unternahm‹.

41 *Ich habe dir:* WA IV 6, S. 195 (aus Langenstein, von Goethes zweiter Harz-Reise).
Ich kann dir nicht sagen: FA I 15/1, S. 668 f. (aus Vicenza an Frau von Stein).

42 *Ich fahre fort:* FA I 15/1, S. 735 f. (aus Perugia an Frau von Stein).
Niemals hab ich: WA IV 8, S. 127 (aus Rom).
der Verfasser reiste: DjG III, S. 88. ›Frankfurter Gelehrte Anzeigen‹ Nr. 86 vom 27. Oktober 1772. Das besprochene anonyme englische Werk war ins Deutsche übersetzt worden u. d. T. ›Charakteristik der vornehmsten Europäischen Nationen‹. – »Puffendorf«: Samuel von Pufendorf: Einleitung zu der Historie der vornehmsten Reiche und Staaten in Europa. 1682.

43 *Zufällig hab ich:* WA IV 8, S. 76; vgl. *Italienische Reise,* Rom, 2. Dezember 1786: FA I 15/1, S. 155. Gemeint ist das die englischen Verhältnisse gegen Italien ausspielende Werk ›England und Italien‹ (1785; 2. Aufl. 1787) des preußischen Offiziers Johann Wilhelm Archenholtz.

44 NEAPEL: FA I 15/2, S. 860 f. In seinem anonym in Wielands ›Teutschem Merkur‹ vom November 1788 publizierten Aufsatz (1817 in Bd. 2 der *Italienischen Reise* unter »Neapel, den 28. Mai 1787« integriert: FA I 15/1, S. 355-361) widerlegt Goethe durch genaue, systematische Beobachtung (eine Art ›Feldstudie‹) ein in seinem Reiseführer kolportiertes Fehlurteil.

45 *Gleich nach meiner Rückkunft:* FA I 17, S. 17 f. (dort in buchstabengetreuer Wiedergabe der hs. Druckvorlage für C^1). Aufgezeichnet zwischen 1817 und 1825. – Joachim Christoph Friedrich Schulz (1762-1798), seit 1790 Professor für Geschichte am Gymnasium in Mitau, war 1791 als Deputierter des kurländischen Bürgerstandes auf den Reichstag nach Warschau entsandt worden. 1795 erschien seine dreibändige ›Reise eines Liefländers von Riga nach Warschau‹. Vgl. ADB 32, S. 742.

46 NEUERE UND NEUSTE REISENDE: Weitz, S. 249 f. Erster Druck 1819. – »Gedrosien«: Provinz des alten Persien, etwa dem heutigen

Belutschistan entsprechend; »Caramanien«: richtig: Carmanien, heute Kerman (Kirman) im Südosten Persiens; »Sanskrit«: von ›saṁskṛta‹: zurechtgemacht, geordnet, geregelt: Sprache der heiligen Schriften und klass. Dichtungen Altindiens; »Himelaja«: Himalaya (›Stätten des Schnees‹). Zur Goethe bekannten Reiseliteratur: Weitz, S. 346.

47 *Megaprazon:* WA I 18, S. 363-366 (dort nach der einzigen Hs. bearbeitet; dazu Helmut Praschek: Goethes Fragmente ›Die Reise der Söhne Megaprazons‹. In: Studien zur Goethezeit. Festschrift für Lieselotte Blumenthal. Weimar 1966, S. 330-356). Goethe hat den Plan des Romans während der Kampagne in Frankreich 1792 konzipiert. Eine Deutung: Gabrielle Bersier: ›Reise der Söhne Megaprazons‹: Goethe, Rabelais und die Französische Revolution. In: Goethe im Kontext. Ein Symposium. Hg. von Wolfgang Wittkowski. Tübingen 1984, S. 230-241. – »Pantagruel«: Anspielung auf die Reiseabenteuer des Helden im 4. Buch von François Rabelais' Roman, das zuerst 1548 erschienen war.

50 GEHEIMSTER WOHNSITZ: FA I 2, S. 524f. (V. 13 dort »hoffen«; hier nach den Hss. und dem Erstdruck korrigiert: s. WA I 3, S. 408 f.). – Das vierte der von Goethe für die sechs Blätter umfassende Publikation *Radierte Blätter nach Handzeichnungen von Goethe* verfaßten Begleitgedichte, im ED ohne Titel, 1822 mit einer Anzeige in *Kunst und Altertum* III 3 (nun mit Überschriften) wiederholt. Mit den von Holdermann, Lieber und Schwerdgeburth ausgeführten Radierungen debütierte Goethe öffentlich als Zeichner (Abb. der Folge bei Wolfgang Hecht: Goethe als Zeichner. München 1982, S. 226-231). Die Nr. 4 zugrundeliegende Handzeichnung (Feder, Sepialavierung mit Deckweißhöhung) ist abgebildet im ›Corpus der Goethezeichnungen‹ Bd. IV A, Nr. 47 (s. auch Gerhard Femmel: Die Goethezeichnungen aus Schloß Hirschhügel bei Rudolstadt. Leipzig 1955, Abb. 18 mit Erl.): In den Ausgang einer Felsenbucht ist wie ein Riegel eine aus einem Rundtempel und ihn umlagernden Gebäuden gebildete Insel plaziert. Ludwig Münz sah in dem Bild eine »auf sich selbst zurückgezogene klare Welt ⟨...⟩, die Welt von Wilhelm Meisters Wanderjahren«.

51 *»Mit Vergnügen sehe ich:* G III/2, S. 612 (Nr. 6556). Das Gespräch mit dem polnischen Schriftsteller Andrzej Edward Kózmian (1804-1864) wurde auf Französisch geführt.
die vielen Fremden: WA IV 49, S. 87.

55 *Wer fremde Sprachen:* Nr. 91 (Hecker). – Zuerst in *Über Kunst und Altertum* III 1 (1821). Ähnliche Gedanken bei Hamann und Lichtenberg (Hecker, S. 304).
»Lernst du nicht: FA I 10, S. 294 (Fassung von 1829); Montan zu Wilhelm.
Der Deutsche soll ⟨...⟩ *Der pedantische Purismus:* Nrn. 978-982 (Hecker). Angeregt durch Karl Ruckstuhls Schrift ›Von der Ausbildung der deutschen Sprache‹ 1818, die er lobend bespricht (WA I 41/1, S. 109-113), wendet sich Goethe gegen die verbreitete Deutschtümelei (weitere Beispiele bei Hecker, S. 373).

56 DER PURIST: Nr. 152; WA I 5/1, S. 227. In den Hss. die Überschrift: »*Campe* der Übersetzer« und statt »fremden«: »gallischen«. – Über die Adressaten, die von Campe angeführten ›Sprachfreunde‹, die in ihren ›Beiträgen‹ seit 1796 Werke von Wieland, Herder und auch Goethe auf ihre Sprachreinheit prüften, siehe *Xenien 1796.* Hg. von Erich Schmidt und Bernhard Suphan. Weimar 1893, S. 155 f.
Gott Dank! daß uns: WA I 5/1, S. 143. Goethes Tagebuch vom 21. Mai 1816: »Gedicht Purismus«. Von Eckermann nachträglich mit dem Titel »Die Sprachreiniger« versehen; zwei willkürlich angehängte Verse sind hier weggelassen (vgl. WA I 5/2, S. 273). – »Der Tyrann«: Napoleon war nach seiner zweiten großen Niederlage 1815 auf die britisch verwaltete Insel St. Helena verbannt worden. »Kontinental-System«: Durch die Kontinentalsperre suchte Napoleon England wirtschaftlich zu isolieren. »Teutschland«: Der Archaismus dient dem Spott auf die ›Sprachreiniger‹.
Will man aber anderes: WA I 41/1, S. 466 (Paralipomenon 2). Der Aufsatz *Deutsche Sprache* erschien zuerst 1817 im 3. Heft von *Über Kunst und Altertum in den Rhein- und Main-Gegenden* (S. 39-51; WA I 41/1, S. 109-117).

57 *Eine fremde Sprache:* WA IV 23, S. 375. Aus Teplitz. Es folgen

Sprachbeispiele sowie Bemerkungen zur Sprache der Gewerbe und Handwerke.

58 *In Gefolg von diesem:* FA I 14, S. 137 f. – Der englische Sprachlehrer hieß Johann Peter Christoph Schade (seit 1762 in Frankfurt); Unterricht in Judendeutsch erhielt Goethe seit 1761 bei Carl Christian Christfreund. – »expediten«: gewandten. »erfand einen Roman«: nicht überliefert. »Siegwart«: ›Siegwart. Eine Klostergeschichte‹ (1776). Empfindsamer Roman von Johann Martin Miller. »Hebräisch zu lernen«: bei Johann Georg Albrecht (1694-1770), Rektor des Barfüßergymnasiums.

60 *Denn gewiß:* WA I 41/2, S. 313 f. – Aus einer Besprechung von ›La Guzla, poésies illyriques‹ (1827), die Goethe als Fälschung Mérimées erkannt hatte, aber billigte; vgl. die ganze Folge von Besprechungen in *Kunst und Altertum* VI 2 (1828): WA I 41/2, S. 308-329.

Wer die deutsche Sprache: WA IV 42, S. 270. – Dankschreiben für die Übersendung von Carlyles ›The Life of Friedrich Schiller. Comprehending an examination of his works‹. London 1825. – »Der Koran sagt: ⟨...⟩«: Vgl. Goethes Brief an den Breslauer Studenten Adolph Oswald Blumenthal vom 28. Mai 1819 (zu dessen Vorhaben, diejenigen deutschen Dichter der letzten dreihundert Jahre näher bekannt zu machen, die in lateinischer Sprache gedichtet hatten): »es ist wahr, was Gott im Koran sagt: ›Wir haben keinem Volk einen Propheten geschickt, als in seiner Sprache!‹ Und so sind denn die Deutschen erst ein Volk durch Luthern geworden« (WA IV 31, S. 160; s. auch S. 340 zu Nr. 123). Die Koran-Stelle: Sure 14,4; s. auch ›Divan‹ -Nachlaß: FA 3.1, S. 718.

der zu dem geistigen: BA 18, S. 290: interpungierte Fassung des WA I 53, S. 394 wiedergegebenen Paralipomenon 95 zu Goethes in *Kunst und Alterum* VI 1 (1827) veröffentlichtem Aufsatz *Serbische Gedichte* (die zuvor schon Jacob Grimm besprochen hatte).

61 *Vergleichung:* WA I 42/1, S. 251. Aus Anlaß von Therese von Jakobs Neuübersetzung der serbischen Volkslieder.

Beim Übersetzen: Nr. 1056 (Hecker). Nicht vor dem 19. April 1826. Ebenso zu Kanzler von Müller, 20. September 1827: »Man muß bis an das Unübersetzbare herangehen und dieses respektieren, denn darin liegt eben der Wert und der Charakter einer jeden Sprache« (späterer Zusatz zu der Bemerkung: »Beim Übersetzen müsse man sich ja nicht in unmittelbaren Kampf mit der fremden Sprache einlassen«; (Grumach, S. 173).

EIN GLEICHNIS: FA I 2, S. 862. Erstdruck im ›Morgenblatt für gebildete Stände‹ Nr. 69 vom 20. März 1828, dann in *Kunst und Altertum* VI 2 (1828). Bezieht sich auf Übersetzungen von Gedichten Goethes in der Zeitschrift ›L' Eco‹ (Mailand), die am 18. Juni 1828 auch dieses Gedicht brachte (s. WA I 5/2, S. 108 f.).

62 *Wenn wir das:* Nr. 1272 (Hecker).

Schreibt er in Neski: Weitz, S. 285. Wohl Ende Januar 1816 entstanden (von Eckermann/Riemer ins Buch »Suleika« integriert). Abb. der Reinschrift Goethes in FA I 3/1, Abb. 21 (darübergesetzt ein arabisches, in Nasqī geschriebenes Distichon). »Neski« (Goethe in der Reinschrift: »Nessky«): unter den acht Schriftarten persischer Schriftkunst die erste, »la Lettre de l'Alcoran & de tout ce qui s'écrit en Arabe« (Chardin: Voyages en Perse). »Talik«: die zweite Schriftart, »qu'on peut appeller une Écriture courante, parce que c'est la plus commune« (Chardin, ebd.).

65 DEUTSCHER NATIONALCHARAKTER: WA I 5/1, S. 218 (Nr. 96). Erstdruck 1796.

Der echte Deutsche: Maximen und Reflexionen Nr. 976 (Hecker). Weimar, 10. Januar 1817 (aus dem Nachlaß). – Abb. der Hs. Goethes bei Hecker, vor S. XXIII; vgl. auch die Erläuterung im insel taschenbuch 200 (Goethe: Maximen und Reflexionen), S. 348 f.

Die Engländer: Nr. 977 (Hecker). April 1825 (aus dem Nachlaß).

Wenn die Deutschen: WA IV 19, S. 19. Zelter hatte von einer Aufführungsserie früher Schillerdramen (anläßlich von Schillers Tod) durch Iffland und von deren großer Wirkung berichtet. Dazu Goethe: »Iffland hat auf jede Weise Recht, den pathologischen Anteil des Publikums für seine Zwecke zu benutzen. Wenn die Deutschen 〈...〉.«

Deutschland kann sich: WA IV 10, S. 375. Über Deutsche in Rom.

Überhaupt wäre es: Fünfte Abteilung, § 728. WA II 1, S. 290.

66 *Sie wissen, es vergeht:* FA II 39, S. 664-666.

68 *der Deutsche* ⟨...⟩: Übersetzung einer von Goethe abgeschriebenen tabellarischen ›Charakterologie‹ europäischer Nationen in lateinischer Sprache, deren Verfasser und Herkunft unbekannt sind. Goethe hat die Tabelle einer Materialsammlung beigelegt, die er für seine 1795/96 geplante zweite (eigentlich dritte) Italienreise zusammengetragen hatte (vollständig abgedruckt in FA I 15/2, S. 935-1038; die Tabelle S. 1028 f.). Die Übersetzung nach BA 14.

70 *Warum Ausländer:* BA 18, S. 345 (dort unter dem Titel »Zur Philosophie«; s. die Erläuterungen ebd., S. 855 f.). Aus dem Nachlaß; Erstdruck (und Titel) 1833. – »Reid, Browne«: Thomas Reid begründete die Philosophie des »common sense«, des »gesunden Menschenverstandes«, und wirkte, wie auch Thomas Brown (›Lectures on the Philosophy of the Human Mind‹ 1822) befreiend auf die französische und deutsche Philosophie.

Goethe sprach über: Grumach, S. 41.

Sprichwort bezeichnet: FA I 2, S. 404 (s. dort S. 1009 f. Karl Eibls Einführung in die Sammlung *Sprichwörtlich*).

71 *Eine wahrhaft allgemeine:* WA IV 42, S. 270.

DEN VEREINIGTEN STAATEN: FA I 2, S. 739. In einem Briefkonzept an Zelter vom 21. Juni 1827 als »vor einigen Tagen entstanden« bezeichnet. Erstdruck im ›Musenalmanach für das Jahr 1831‹. Hg. von Amadeus Wendt (Leipzig); im September 1819 notierte Goethe: *»Eines verjährten Neptunisten Schlußbekenntnis. Abschied von der Geologie.* ⟨...⟩ Nord Amerikaner glücklich keine Basalte zu haben./Keine Ahnen und keinen klassischen Boden« (WA II 13, S. 314), und 1822: »Übrigens ist jener Weltteil ⟨Nordamerika⟩ glücklich zu preisen, daß er vulkanische Wirkungen entbehrt, wodurch denn die Geologie der neuen Welt einen weit festern Charakter zeigt als der alten, wo nichts mehr auf festem Fuße zu stehen scheint« (WA II 10, S. 273).

75 ZURECHTWEISUNG: »Rendsch Nameh – Buch des Unmuts«; Weitz, S. 53. Entstehung: Mai 1818. Druck: 1818. – »franzet ⟨...⟩ teutschet«: »Wohl Goethesche Neologismen zur formelhaften Charakterisierung gegensätzlicher nationaler Orientierungen in Politik, Mode, Kunst etc.« (FA I 3/2, S. 1117).

Sehen wir unsre Literatur: Nr. 765 (Hecker). Aus *Wilhelm Meisters Wanderjahre* (1829): »Aus Makariens Archiv«.

76 MEPHISTOPHELES: FA I 7/1, S. 316. Aus der »Klassischen Walpurgisnacht«. – »DRYAS«: griech. (drys: Eiche) Baumnymphe. – »In Deinem ⟨...⟩ klug«: ›Magst du ⟨...⟩ als Einheimischer klug sein‹ (konzessiv).

Es geht uns alten Europäern: FA II 39, S. 661. – »gemütlich«: aus dem Gemüt heraus, mit innerer Beteiligung (s. Rudolf Hildebrands Artikel im DWb).

77 *Über die Liebe des Vaterlands:* DjG II, S. 264 f. – Besprochen wird ein Buch dieses Titels von J. v. Sonnenfels.

Wenn man aber denkt: FA II 39, S. 678.

78 *Zeichnet doch euere: Maximen und Reflexionen* Nr. 1354 (Hecker). – Gegen die naturalistische Darstellung Friedrichs des Großen als Denkmal in Berlin. Weitere Polemik Goethes gegen Schadows ›Credo‹: »Besäßen wir doch nur die Geschicklichkeit, das Vaterländische darzustellen, das Eigentümliche – denn nichts anders gibt es in der Natur«, in den Maximen Nr. 1358 f. sowie in der Notiz: »Indem das heilige römische Reich dem verdienten Helden eine Statue setzen will, legt es in corpore in eine Lotterie. Es ist zu fürchten, daß es eine Kunstniete zieht« (Hecker, S. 392).

Wenn ihr sagt: Nr. 1356 (Hecker).

79 *Deutsche Künstler:* WA IV 28, S. 380 (Konzept).

Paris ist offen: Nr. 1357 (Hecker).

Möchten sie: WA IV 24, S. 161. – Geschrieben anläßlich der deutschen Erstausgabe von M.me de Staëls ›De l'Allemagne‹ und mit Bezug auf die Befreiungskriege.

So würde jetzt: WA I 41/1, S. 114 f. Zuerst in *Über Kunst und Altertum in den Rhein- und Main-Gegenden*, 3. Heft, 1817.

80 *Goethe liest:* FA II 39, S. 668 (nach Soret). – ›Le Globe‹, die Zeitschrift der französischen Jungromantiker, las Goethe seit 1824. Der Philosoph Victor Cousin (1792-1867) war ihm auch persönlich bekannt (vgl. noch Eckermann: Gespräche II: 17. Februar 1829 und III: 3. Februar 1830).

Ampère ⟨...⟩ steht freilich: FA II 39, S. 610. Nach einem Treffen mit dem Literarhistoriker Jean Jacques Ampère (1800-1864) und dem franz. Übersetzer der Dramen Goethes, Friedrich Stapfer (beide Mitarbeiter am ›Globe‹), in Weimar (s. die Berichte Ampères in G III/2, S. 109-130).

Ich habe in meiner Poesie: FA II 39, S. 707 f.

81 *David, dabei möglicherweise:* G III/2, S. 470 f. (Nr. 6403). – Bericht des polnischen Schriftstellers und Übersetzers Anton Eduard Odyniec (1804-1885) über ein Tischgespräch bei Goethe, an dem auch der Dichter Adam Mickiewicz und der französische Bildhauer David d'Angers teilnahmen.

82 *Ein wohldenkender Mann* ⟨...⟩ *Das Land, das die Fremden:* »Neuere, Neueste Dichter«. Weitz, S. 170 und 169. – Aus der von Kosegarten angefertigten, von Goethe hier eingeschalteten Übersetzung einer Aufzeichnung des persischen Botschafters und Dichters Mirza Abul Hassan Khan (geb. 1776 zu Schiras) von 1816.

85 *Nationalliteratur will jetzt:* FA II 39, S. 224 f.

Ich bin überzeugt: WA IV 42, S. 28 (Konzept). – Aus einem Dankschreiben Goethes für Streckfuß' Übersetzung von Manzonis Tragödie ›Adelchi‹.

Jetzt, da sich eine Weltliteratur: Nr. 767 (Hecker). – Aus *Wilhelm Meisters Wanderjahre* (1829): »Aus Makariens Archiv«.

Wenn wir eine europäische: BA 18, S. 392; ebd., S. 876-878 Näheres über Goethes Interesse an den Tagungen 1827/28, an denen u. a. Oken, Gauß, v. Martius, A. v. Humboldt, Oersted und v. Berzelius teilnahmen.

86 *Wenn nun aber:* BA 18, S. 429 f. – Vermutlich ein Entwurf für Goethes Vorwort zu Carlyles Schiller-Biographie. Erstdruck 1833 in Bd. 49 der *Ausgabe letzter Hand* (Zusammenstellung und Überschriften von Eckermann); s. auch WA I 42/2, S. 502 f.

87 SCHEMA ZUR KUNST UND ALTERTUM: WA I 42/2, S. 500 f. (Erstdruck).

88 EPOCHEN GESELLIGER BILDUNG: WA I 41/2, S. 361 f. – Der auf den 25. April 1831 datierte und an den Kanzler von Müller gesandte Aufsatz war für die Eröffnung des Weimarischen Lesemuseums am 2. Mai gedacht, dem fast hundert Personen aus dem Hof- und

Beamtenkreis beitraten. – »gebildeter Menschen«: Zusatz in der Diktat-Hs.

91 BETRACHTUNGEN IM SINNE DER WANDERER: FA I 10, S. 557-584 (s. dort den Überblicks- und Stellenkommentar, S. 1144-1171, und Heckers Erl. zu *Maximen und Reflexionen* Nr. 441-616, S. 337-351). Die Aphorismensammlung bildet, zusammen mit dem Gedicht *Vermächtnis* (u., S. 126 f.), den Abschluß des zweiten Buchs der *Wanderjahre* (1829), wie »Aus Makariens Archiv« das dritte Buch schließt, gleichfalls gefolgt von einem Gedicht.

126 VERMÄCHTNIS: FA I 10, S. 585 f. (auch I 2, S. 685 f. mit Erl. S. 1203-1205). Goethes Tagebuch vom 12. Februar 1829: »Abschrift des Vermächtnisses«. – Die später erfolgte Herauslösung des Gedichts aus den *Wanderjahren* und seine Anreihung an *Eins und Alles* war nicht durch Goethe autorisiert, wie auch die von Eckermann (›Gespräche‹, 12. Februar 1829) behauptete Opposition zu *Eins und Alles* (Schlußverse!) fragwürdig ist.

131 *Weite Welt:* FA I 2, S. 489. Vorspruch zur Abteilung »Gott und Welt« der Gedichtsammlung von 1827. Entstanden »Pfingsten. Jena. Mai 1817«; zuerst als Motto der Zs. *Zur Naturwissenschaft überhaupt* I 1 (1817) gedruckt (s. MA 12, S. 386).

Zum Sehen geboren: FA I 7/1, S. 436: »LYNCEUS, der Türmer *auf der Schloßwarte, singend*« (s. A. Schönes Kommentar: 7/2, S. 728 f.).

132 DAS GÖTTLICHE: WA I 2, S. 83-85 (nach C^3). Zuerst im ›Tiefurter Journal‹ 40. Stück (Ende 1783) hs., ohne Überschrift, veröffentlicht. Erstdruck in Friedrich Heinrich Jacobi ›Über die Lehre des Spinoza‹ (1785; s. Goethes Brief an Jacobi vom 11. September 1785); die Überschrift erst seit 1787. – V. 10: »Ihnen gleiche der Mensch«: fehlt in Goethes Hs. 1788 und in allen Drucken; zur Diskussion, ob aus Versehen oder mit Absicht, s. WA I 2, S. 314 (Versehen, daher von WA interpoliert), und die Kommentare in HA 1 (Versehen), MA 2.1 (Versehen) und FA I 1 (Gründe für bewußte Tilgung durch den »italienischen« Goethe).

134 GRENZEN DER MENSCHHEIT: WA I 2, S. 81 f. – »Menschheit«: »Nicht die Summe, sondern das Wesen der Menschen« (Karl Eibl). – »Reihen sich«: In einer frühen Abschrift Herders und in Goethes

Hs. 1788: »Reihen sie« (= die Götter), aber schon im ED 1789 »sich« (zur Diskussion vgl. die zu S. 132 genannten Kommentare).

136 UNBEGRENZT: »Moganni Nameh – Buch des Sängers«; Weitz, S. 25. Geschrieben vor dem 30. Mai 1815. Druck: 1816. An Hafis gerichtet, dessen Lieder »weder einen Zusammenhang der Handlung noch eine logische Entwicklung von Gedanken« kennen (Weitz, S. 305). Titel im Wiesbadener Register: »13. Hafis Dichtercharacter« und im Vorabdruck (›Taschenbuch für Damen auf das Jahr 1817‹): »Hafis«. Hammers ambivalente Charakterisierung von Hafis' Dichtart (der klassisch-aristotelischen ›Ganzheits‹-Poetik entgegengesetzt), die Goethe hier ins Positive wendet, zitiert Birus im Kommentar FA I 3/2, S. 1000 f.

Christoph Michel

INHALT

FREMDE SPRACHEN

NATIONALCHARAKTER

NATIONALE EGOISMEN

WELTLITERATUR

BETRACHTUNGEN
IM SINNE DER WANDERER

GOTT UND WELT

NACHWORT

Johann Wolfgang Goethe
im Insel Verlag

Werke. Insel-Goethe. Sechs Bände. Herausgegeben von Emil Staiger, Walter Höllerer, Hans-J. Weitz, Norbert Miller u.a. Leinen

Einzelausgaben

Alle Freuden, die unendlichen. Liebesgedichte und Interpretationen. Herausgegeben von Marcel Reich-Ranicki. IB 1028

Dichtung und Wahrheit. 3 Bde. in Kassette. Mit Bildmaterial. it 149-151

Elegie von Marienbad. Faksimile einer Urhandschrift. September 1823. Mit einem Kommentarband. Herausgegeben von Christoph Michel und Jürgen Behrens. Mit einem Geleitwort von Arthur Henkel. Leder

Erotische Gedichte. Gedichte, Skizzen und Fragmente. Herausgegeben von Andreas Ammer. it 1225

Faust. Gesamtausgabe. Leinen und Leder

Faust. Erster Teil. Nachwort von Jörn Göres. Illustrationen von Eugène Delacroix. it 50

Faust. Zweiter Teil. Mit Federzeichnungen von Max Beckmann. Mit einem Nachwort zum Text von Jörn Göres und zu den Zeichnungen von Friedhelm Fischer. it 100

Faust. Zweiter Teil. Faksimile der Erstausgabe. Leder

Gedichte. Sämtliche Gedichte in zeitlicher Folge. Herausgegeben von Heinz Nicolai. it 1400

Gedichte. Vier Bände in Kassette. Mit Illustrationen von Ernst Barlach, Max Liebermann, Hans Meid und Karl Walser. Vier Bände in einer Insel-Bücherei-Kassette. IB 1144-1147

Gedichte 1. Mit 31 Illustrationen von Ernst Barlach. IB 1144

Gedichte 2. Mit 15 Illustrationen von Max Liebermann. IB 1145

Gedichte 3. Mit 19 Illustrationen von Hans Meid. IB 1146

Gedichte 4. Mit 20 Illustrationen von Karl Walser. IB 1147

Gedichte in einem Band. Herausgegeben von Heinz Nicolai. Leinen

Goethes Anschauen der Welt. Schriften und Maximen zur wissenschaftlichen Methode. Herausgegeben von Ekkehart Krippendorf. Gebunden

Goethes Gedanken über Musik. Eine Sammlung aus seinen Werken, Briefen, Gesprächen und Tagebüchern. Herausgegeben von Hedwig Walwei-Wiegelmann. Mit achtundvierzig Abbildungen, erläutert von Hartmut Schmidt. it 800

Goethes Liebesgedichte. Herausgegeben von Hans Gerhard Gräf. Mit einem Nachwort von Emil Staiger. Leinen, Leder und it 275

Goethes Reden. Herausgegeben und mit einem Nachwort versehen von Gert Ueding. it 1650

54/1/3.95

Johann Wolfgang Goethe
im Insel Verlag

Goethes schönste Gedichte. Herausgegeben von Jochen Schmidt. IB 1013

Hermann und Dorothea. Mit Aufsätzen von August Wilhelm Schlegel, Wilhelm von Humboldt, Georg Wilhelm Friedrich Hegel und Hermann Hettner. Mit zehn Kupfern von Catel. it 225

Hier schicke ich einen Traum. Fünfzig Geschenk- und Stammbuchblätter gezeichnet von Johann Wolfgang Goethe. Faksimile im Lichtdruck. Herausgegeben und kommentiert von Gerhard Femmel. Kassette

Italienische Reise. Mit vierzig Zeichnungen des Autors. Herausgegeben und mit einem Nachwort versehen von Christoph Michel. it 175

Tagebuch der Italienischen Reise 1786. Notizen und Briefe aus Italien. Mit Skizzen und Zeichnungen des Autors. Herausgegeben und erläutert von Christoph Michel. it 176

Kampagne in Frankreich 1792. Belagerung von Mainz. Herausgegeben und mit einem Nachwort von Jörg Drews. Mit zeitgenössischen Abbildungen. it 1525

Die Leiden des jungen Werther. Mit einem Essay von Georg Lukács und einem Nachwort von Jörn Göres. Mit zeitgenössischen Illustrationen von Daniel Nikolaus Chodowiecki und anderen. Leinen und it 25

Lektüre für Augenblicke. Gedanken aus seinen Büchern, Briefen und Gesprächen. Auswahl und Nachwort von Gerhart Baumann. Pappband

Lektüre zwischen den Jahren. Goethe, unser Zeitgenosse. Ausgewählt von Peter Ulmer. Kartoniert

Märchen. Der neue Paris. Die neue Melusine. Das Märchen. Herausgegeben und erläutert von Katharina Mommsen. it 825

Der Mann von funfzig Jahren. Mit einem Nachwort von Adolf Muschg. it 850

Maximen und Reflexionen. Text der Ausgabe von 1907 mit den Erläuterungen und der Einleitung Max Heckers. Nachwort von Isabella Kuhn. it 200

Mit Goethe durch den Garten. Ein Abc für Gartenfreunde, aufgeblättert von Claudia Schmölders. Mit Bildern von Hans Traxler. it 1211

Novellen. Herausgegeben und mit einem Nachwort versehen von Katharina Mommsen. Mit Federzeichnungen von Max Liebermann. it 425

Pandora. Ein Festspiel. Illustriert von Johannes Grützke. Einmalige numerierte Auflage in tausend Exemplaren. Leinen im Schuber

54/2/3.95

Johann Wolfgang Goethe im Insel Verlag

Reineke Fuchs. Mit Stahlstichen nach Zeichnungen von Wilhelm Kaulbach. it 125

Römische Elegien. Faksimile der Handschrift und Transkription. Mit einem Nachwort von Horst Rüdiger. IB 1010

Römische Elegien und Venezianische Epigramme. Herausgegeben von Regine Otto. it 1150

Sämtliche Balladen und Romanzen in zeitlicher Folge. Herausgegeben von Karl Eibl. it 1275

Skizzen zu einer Schilderung Winckelmanns. Mit einem Nachwort von Jochen Golz. Mit zahlreichen Abbildungen. IB 1149

Die Tafeln zur Farbenlehre und deren Erklärungen. Mit einem Nachwort von Jürgen Teller. Mit siebzehn Abbildungen. IB 1140

Goethe, unser Zeitgenosse. Über Fremdes und Eigenes. Herausgegeben von Siegfried Unseld. it 1425

Unterhaltungen deutscher Ausgewanderten. Mit einem Nachwort herausgegeben von Gert Ueding. it 1050

Vermischte Gedichte. Faksimile. Mit einem Kommentarband, herausgegeben von Karl-Heinz Hahn. 2 Bde. Pappband

Verweile doch. Gedichte mit Interpretationen. Herausgegeben von Marcel Reich-Ranicki. Leinen

Die Wahlverwandtschaften. Ein Roman. Erläuterungen von Hans-J. Weitz. Mit einem Essay von Walter Benjamin. Leinen, it 1 und it 1639

West-östlicher Divan. Herausgegeben und erläutert von Hans-J. Weitz. Mit Essays zum ›Divan‹ von Hugo von Hofmannsthal, Oskar Loerke und Karl Krolow. Leinen

West-östlicher Divan. Mit Essays zum ›Divan‹ von Hugo von Hofmannsthal, Oskar Loerke und Karl Krolow. Herausgegeben und mit Erläuterungen versehen von Hans-J. Weitz. it 75

Wilhelm Meisters Lehrjahre. Herausgegeben von Erich Schmidt. Mit sechs Kupferstichen von Catel, sieben Musikbeispielen und Anmerkungen. Leinen und it 475

Wilhelm Meisters Wanderjahre oder die Entsagenden. Mit einem Nachwort von Adolf Muschg. Leinen, Leder und it 575

Johann Wolfgang Goethe / Friedrich von Schiller: Sämtliche Balladen und Romanzen in zeitlicher Folge. Herausgegeben von Karl Eibl. it 1275

54/3/3.95

Johann Wolfgang Goethe
im Insel Verlag

Übersetzungen

Benvenuto Cellini: Leben des Benvenuto Cellini florentinischen Goldschmieds und Bildhauers. Von ihm selbst geschrieben, übersetzt und mit einem Anhange herausgegeben von Johann Wolfgang Goethe. Mit einem Nachwort von Harald Keller. it 525

Briefe und Gespräche

Bettine von Arnim: Goethes Briefwechsel mit einem Kinde. Herausgegeben und eingeleitet von Waldemar Oehlke. Mit zeitgenössischen Abbildungen. it 767

Briefe an Auguste Gräfin zu Stolberg. Herausgegeben und mit einem Nachwort versehen von Jürgen Behrens. Mit Abbildungen und Faksimiles. IB 1015

Der Briefwechsel zwischen Schiller und Goethe. Herausgegeben von Emil Staiger. Leinen

Der Briefwechsel zwischen Schiller und Goethe. 2 Bde. Herausgegeben von Emil Staiger. Mit Illustrationen. Bildkommentar von Hans-Georg Dewitz. it 250

Goethes Ehe in Briefen. Der Briefwechsel zwischen Goethe und Christiane Vulpius 1792–1816. Herausgegeben von Hans Gerhard Gräf. it 1625

Zu Goethe

Die Erotica und Priapea aus den Kunstsammlungen Johann Wolfgang Goethes. Herausgegeben und erläutert von Gerhard Femmel und Christoph Michel. Mit 74, teilweise farbigen Abbildungen. Klappen-Broschur

Goethe. Sein Leben in Bildern und Texten. Vorwort von Adolf Muschg. Herausgegeben von Christoph Michel. Gestaltet von Willy Fleckhaus. Leinen und it 1000

Goethe im zwanzigsten Jahrhundert. Spiegelungen und Deutungen. Herausgegeben von Hans Mayer. Leinen

Goethe in Leipzig 1765–1768. Bruchstücke einer Konfession, dokumentiert in Briefen und Selbstzeugnissen. Zusammengestellt von Christine Schaper. Mit 12 Holzstichen von Karl-Georg Hirsch. Pappband im Schuber

Goethe und die arabische Welt. Leinen

Goethe und die Französische Revolution. Insel-Almanach auf das Jahr 1989. Herausgegeben und erläutert von Karl Otto Conrady. Kartoniert

54/4/3.95

Johann Wolfgang Goethe im Insel Verlag

Goethe und die Medizin. Selbstzeugnisse und Dokumente. Mit zahlreichen Abbildungen. it 1350

– Goethe, unser Zeitgenosse. Über Fremdes und Eigenes. Herausgegeben von Siegfried Unseld. it 1425

Karl Otto Conrady: Goethe was here. In den Rhein- und Main-Gegenden und der Schweiz. Parodistischer Scherz und Ernst. it 1600

Pierre Bertaux: Gar schöne Spiele spiel' ich mit dir! Zu Goethes Spieltrieb. Leinen

Anne Bohnenkamp: »... das Hauptgeschäft nicht aus den Augen lassend«. Die Paralipomena zu Goethes *Faust*. Leinen

Bernhard Buschendorf: Goethes mythische Denkform. Zur Ikonographie der ›Wahlverwandtschaften‹. Kartoniert

Hans Carossa: Wirkungen Goethes in der Gegenwart. Mit einem Porträt Goethes im Frontispiz und 2 Manuskript-Faksimiles. IB 53

Sigrid Damm: Cornelia Goethe. Leinen und it 1452

Johann Peter Eckermann: Gespräche mit Goethe in den letzten Jahren seines Lebens. Herausgegeben von Fritz Bergemann. Neuausgabe. Leinen und it 500

Dietmar Grieser: Goethe in Hessen. Auf den Spuren lebendiger Goethe-Tradition: Verehrung und Vermarktung, Verpflichtung und Kult. Zum 150. Todestag des Dichters: ein literarischer Lokalaugenschein an den hessischen Goethe-Orten Frankfurt, Wetzlar, Darmstadt, Wiesbaden und Rheingau. Gebunden

Heinrich Henel: Goethezeit. Ausgewählte Aufsätze. Leinen

– Im Namen Goethes. Der Briefwechsel Marianne von Willemer und Hermann Grimm. Herausgegeben von Hans Joachim Mey. Mit Abbildungen. Leinen

Ekkehart Krippendorff: »Wie die Großen mit den Menschen spielen.« Goethes Politik. es 1486

– Lektüre zwischen den Jahren. Goethe, unser Zeitgenosse. Ausgewählt von Peter Ulmer. Kartoniert

Jakob Michael Reinhold Lenz: Briefe zu Werthers Leiden. Mit einem Essay von Christoph Hein. IB 1120

Adolf Muschg: Goethe als Emigrant. Auf der Suche nach dem Grünen bei einem alten Dichter. st 1287

Frank Nager: Goethe. Der heilkundige Dichter. it 1672

Franz Schubert: Goethe-Lieder. Für eine Singstimme mit Klavierbegleitung. Mit einem Nachwort von Peter Horst Neumann. Die Umschreibung in Tonarten für mittlere Stimme ist von Max Friedländer. Das Nachwort erscheint erstmals in dieser Ausgabe. IB 284

54/5/3.95

54/6/3.95

Klassische deutsche Literatur im insel taschenbuch

Bettine von Arnim: Goethes Briefwechsel mit einem Kinde. Herausgegeben und eingeleitet von Waldemar Oehlke. Mit zeitgenössischen Abbildungen. it 767

– Die Günderode. Mit einem Essay von Christa Wolf. it 702

Ludwig Börne: Spiegelbild des Lebens. Aufsätze zur Literatur. Erweiterte Neuausgabe. Ausgewählt und eingeleitet von Marcel Reich-Ranicki. it 1578

Hermann Bote: Till Eulenspiegel. Ein kurzweiliges Buch aus dem Lande Braunschweig. Wie er sein Leben vollbracht hat. Sechsundneunzig seiner Geschichten. Herausgegeben, in die Sprache unserer Zeit übertragen und mit Anmerkungen versehen von Siegfried H. Sichtermann. Mit zeitgenössischen Illustrationen. it 336

Clemens Brentano: Gedichte. Erzählungen. Briefe. Herausgegeben von Hans Magnus Enzensberger. it 557

Georg Büchner: Lenz. Erzählung. Mit Oberlins Aufzeichnungen ›Der Dichter Lenz, im Steinthale‹, ausgewählten Briefen von J. M. R. Lenz und einem Nachwort von Jürgen Schröder. it 429

– Leonce und Lena. Ein Lustspiel. Mit farbigen Illustrationen von Karl Walser und einem Nachwort von Jürgen Schröder. it 594

– Woyzeck. Nach den Handschriften neu herausgegeben und kommentiert von Henri Poschmann. it 846

Gottfried August Bürger: Wunderbare Reisen zu Wasser und zu Lande. Feldzüge und lustige Abenteuer des Freiherrn von Münchhausen, wie er dieselben bei der Flasche im Zirkel seiner Freunde selbst zu erzählen pflegt. Mit den Holzschnitten von Gustave Doré. it 207

Wilhelm Busch: Kritisch-Allzukritisches. Gedichte. Ausgewählt und mit einem Nachwort von Theo Schlee. Mit Illustrationen von Wilhelm Busch. it 52

Adelbert von Chamisso: Peter Schlemihls wundersame Geschichte. Nachwort von Thomas Mann. Illustriert von Emil Preetorius. it 27

Matthias Claudius: Der Wandsbecker Bote. Mit einem Vorwort von Peter Suhrkamp und einem Nachwort von Hermann Hesse. it 130

Annette von Droste-Hülshoff: Die Judenbuche. Ein Sittengemälde aus dem gebirgichten Westfalen. Mit Illustrationen von Max Unold. it 399

– Sämtliche Erzählungen. Herausgegeben von Manfred Häckel. it 1521

– Sämtliche Gedichte. Mit einem Nachwort von Ricarda Huch. it 1092

Marie von Ebner-Eschenbach: Dorf- und Schloßgeschichten. Mit einem Nachwort von Joseph Peter Strelka. it 1272

Johann Peter Eckermann: Gespräche mit Goethe in den letzten Jahren seines Lebens. 2 Bde. Herausgegeben von Fritz Bergemann. it 500

161/1/3.95

Klassische deutsche Literatur
im insel taschenbuch

Joseph von Eichendorff: Aus dem Leben eines Taugenichts. Mit Illustrationen von Adolf Schrödter und einem Nachwort von Ansgar Hillach. it 202
– Gedichte. Mit Zeichnungen von Otto Ubbelohde. Herausgegeben von Traude Dienel. it 255
– Gedichte. In chronologischer Folge herausgegeben von Hartwig Schultz. it 1060
– Novellen und Gedichte. Ausgewählt und eingeleitet von Hermann Hesse. it 360
Theodor Fontane: Briefe an Georg Friedlaender. Herausgegeben und mit einem Nachwort versehen von Walter Hettche. it 1565
– Cécile. Mit einem Nachwort von Walter Müller- Seidel. it 689
– Effi Briest. Mit 21 Lithographien von Max Liebermann. it 138, it 1637 und Großdruck. it 2340
– Frau Jenny Treibel oder ›Wo sich Herz zum Herzen findt‹. Roman. Mit einem Nachwort von Richard Brinkmann. it 746
– Grete Minde. Mit einem Nachwort von Peter Demetz. it 1157
– Herr von Ribbeck auf Ribbeck. Gedichte und Balladen. Herausgegeben von Gottfried Honnefelder. it 1446
– Irrungen, Wirrungen. Mit einem Nachwort von Walther Killy. it 771
– Jenseit des Tweed. Bilder und Briefe aus Schottland. Mit zahlreichen Abbildungen und einem Nachwort herausgegeben von Otto Drude. it 1066
– Kriegsgefangen. Erlebnisse 1870. Herausgegeben von Otto Drude. Mit zahlreichen Abbildungen. it 1437
– Mathilde Möhring. Mit einem Nachwort von Peter Demetz. it 1107
– Meine Kinderjahre. Autobiographischer Roman. Mit einem Nachwort von Otto Drude. it 705
– Die Poggenpuhls. Roman. it 1271
– Schach von Wuthenow. Erzählung aus der Zeit des Regiments Gendarmes. Mit einem Nachwort von Benno von Wiese. it 816
– Der Stechlin. Mit einem Nachwort von Walter Müller-Seidel. it 152
– Stine. Roman. Mit einem Nachwort von Peter Demetz. it 899
– Unwiederbringlich. Roman. it 1593
– Vor dem Sturm. Roman, aus dem Winter 1812 auf 13. Mit einem Nachwort von Hugo Aust. it 583
Georg Forster: Reise um die Welt. Herausgegeben und mit einem Nachwort von Gerhard Steiner. it 757
Das Gespensterbuch. Herausgegeben von Johann August Apel und Friedrich Laun. Ausgewählt von Robert Stockhammer. it 1388

161/2/3.95

Klassische deutsche Literatur im insel taschenbuch

Johann Wolfgang Goethe: Dichtung und Wahrheit. 3 Bde. in Kassette. Mit Bildmaterial. it 149-151

– Erotische Gedichte. Gedichte, Skizzen und Fragmente. Herausgegeben von Andreas Ammer. it 1225

– Faust. Erster Teil. Nachwort von Jörn Göres. Illustrationen von Eugène Delacroix. it 50

– Faust. Zweiter Teil. Mit Federzeichnungen von Max Beckmann. Mit einem Nachwort zum Text von Jörn Göres und zu den Zeichnungen von Friedhelm Fischer. it 100

– Gedichte. Sämtliche Gedichte in zeitlicher Folge. Herausgegeben von Heinz Nicolai. it 1400

Goethes Briefe an Charlotte von Stein. 3 Bde. in Kassette. Herausgegeben von Julius Petersen. it 1125

Goethes Gedanken über Musik. Eine Sammlung aus seinen Werken, Briefen, Gesprächen und Tagebüchern. Herausgegeben von Hedwig Walwei-Wiegelmann. Mit achtundvierzig Abbildungen, erläutert von Hartmut Schmidt. it 800

Goethes Liebesgedichte. Herausgegeben von Hans Gerhard Gräf mit einem Nachwort von Emil Staiger. it 275

– Hermann und Dorothea. Mit Aufsätzen von August Wilhelm Schlegel, Wilhelm von Humboldt, Georg Wilhelm Friedrich Hegel und Hermann Hettner. Mit zehn Kupfern von Catel. it 225

– Italienische Reise. Mit vierzig Zeichnungen des Autors. Herausgegeben und mit einem Nachwort versehen von Christoph Michel. it 175

– Tagebuch der Italienischen Reise 1786. Notizen und Briefe aus Italien. Mit Skizzen und Zeichnungen des Autors. Herausgegeben und erläutert von Christoph Michel. it 176

– Kampagne in Frankreich 1792. Belagerung von Mainz. Herausgegeben und mit einem Nachwort von Jörg Drews. Mit zeitgenössischen Abbildungen. it 1525

– Die Leiden des jungen Werther. Mit einem Essay von Georg Lukács und einem Nachwort von Jörn Göres. Mit zeitgenössischen Illustrationen von Daniel Nikolaus Chodowiecki und anderen. it 25

– Märchen. Der neue Paris. Die neue Melusine. Das Märchen. Herausgegeben und erläutert von Katharina Mommsen. it 825

– Der Mann von funfzig Jahren. Mit einem Nachwort von Adolf Muschg. it 850

– Maximen und Reflexionen. Text der Ausgabe von 1907 mit den Erläuterungen und der Einleitung Max Heckers. Nachwort von Isabella Kuhn. it 200

161/3/3.95

Klassische deutsche Literatur im insel taschenbuch

Johann Wolfgang Goethe: Novellen. Herausgegeben und mit einem Nachwort versehen von Katharina Mommsen. Mit Federzeichnungen von Max Liebermann. it 425

– Reineke Fuchs. Mit Stahlstichen nach Zeichnungen von Wilhelm Kaulbach. it 125

– Römische Elegien und Venezianische Epigramme. Herausgegeben von Regine Otto. it 1150

– Unterhaltungen deutscher Ausgewanderten. Mit einem Nachwort herausgegeben von Gert Ueding. it 1050

– Die Wahlverwandtschaften. Ein Roman. Erläuterungen von Hans-J. Weitz. Mit einem Essay von Walter Benjamin. it 1

– Die Wahlverwandtschaften. Ein Roman. Erläuterungen von Hans-J. Weitz. Mit einem Essay von Walter Benjamin. it 1639

– West-östlicher Divan. Mit Essays zum ›Divan‹ von Hugo von Hofmannsthal, Oskar Loerke und Karl Krolow. Herausgegeben und mit Erläuterungen versehen von Hans-J. Weitz. it 75

– Wilhelm Meisters Lehrjahre. Herausgegeben von Erich Schmitt. Mit sechs Kupferstichen von Catel, sieben Musikbeispielen und Anmerkungen. it 475

– Wilhelm Meisters Wanderjahre oder die Entsagenden. Mit einem Nachwort von Adolf Muschg. it 575

Der Briefwechsel zwischen Schiller und Goethe. 2 Bde. Herausgegeben von Emil Staiger. Mit Illustrationen. Bildkommentar von Hans-Georg Dewitz. it 250

Johann Wolfgang Goethe / Friedrich von Schiller: Sämtliche Balladen und Romanzen in zeitlicher Folge. Herausgegeben von Karl Eibl. it 1275

Goethes Reden. Herausgegeben und mit einem Nachwort versehen von Gert Ueding. it 1650

Manfred Wenzel: Goethe und die Medizin. Selbstzeugnisse und Dokumente. Mit zahlreichen Abbildungen. it 1350

Jeremias Gotthelf: Die schwarze Spinne. Mit Illustrationen von Renate Sendler-Peters. it 991

Hans Jakob Christoffel von Grimmelshausen: Der abenteuerliche Simplicissimus. Mit Zeichnungen von Fritz Kredel. it 739

Grimms Märchen, wie sie nicht im Buche stehen. Herausgegeben und erläutert von Heinz Rölleke. it 1551

Karoline von Günderode: Gedichte. Herausgegeben von Franz Josef Görtz. it 809

Johann Christian Günther: Die Gedichte. Herausgegeben von Franz-Heinrich Hackel. it 1702

161/4/3.95

Klassische deutsche Literatur
im insel taschenbuch

Wilhelm Hauff: Märchen. Herausgegeben von Bernhard Zeller. Mit Illustrationen von Theodor Weber, Theodor Hosemann und Ludwig Burger. it 216

Johann Peter Hebel: Kalendergeschichten. Ausgewählt und mit einem Nachwort von Ernst Bloch. Mit neunzehn Holzschnitten von Ludwig Richter. it 17

– Schatzkästlein des rheinischen Hausfreundes. Nachdruck der Ausgabe von 1811 sowie sämtliche Kalendergeschichten aus dem »Rheinländischen Hausfreund« der Jahre 1808-1819. Herausgegeben und mit einem Nachwort versehen von Jan Knopf. it 719

Heinrich Heine: Buch der Lieder. Mit zeitgenössischen Illustrationen und einem Nachwort von E. Galley. it 33

– Deutschland. Ein Wintermärchen. Mit einem Nachwort von Joseph Peter Strelka. Anhang mit Bibliographie und einer Zeittafel. it 723

– Gedichte aus Liebe. In einer Auswahl von Thomas Brasch. it 1444

– Italien. Mit farbigen Illustrationen von Paul Scheurich. it 1072

– Neue Gedichte. it 1055

– Der Rabbi von Bacherach. Ein Fragment. Mit Illustrationen von Max Liebermann und einem Nachwort von Joseph A. Kruse. it 811

– Reisebilder. Mit einem Nachwort von Joseph A. Kruse und zeitgenössischen Illustrationen. it 444

– Romanzero. Mit einem Nachwort von Joseph A. Kruse und zeitgenössischen Illustrationen. it 538

Johann Gottfried Herder: Lesebuch. Zum 250. Geburtstag. Herausgegeben von Siegfried Hartmut Sunnus. Mit zahlreichen Abbildungen. it 1609

Friedrich Hölderlin: Gedichte. Herausgegeben und mit Erläuterungen versehen von Jochen Schmidt. it 781

– Hyperion oder Der Eremit in Griechenland. Herausgegeben und mit einem Nachwort versehen von Jochen Schmidt. it 365

– Die schönsten Gedichte. Ausgewählt und mit einem Nachwort versehen von Jochen Schmidt. it 1508

Hölderlin. Chronik seines Lebens mit ausgewählten Bildnissen. Herausgegeben von Adolf Beck. it 83

E. T. A. Hoffmann: Die Abenteuer der Silvester-Nacht. Mit farbigen Illustrationen von Monika Wurmdobler. it 798

– Die Elixiere des Teufels. Mit Illustrationen von Hugo Steiner-Prag. it 304

– Das Fräulein von Scuderi. Erzählung aus dem Zeitalter Ludwig des Vierzehnten. Mit Illustrationen von Lutz Siebert. it 410

161/5/3.95

Klassische deutsche Literatur im insel taschenbuch

E. T. A. Hoffmann: Der goldne Topf. Ein Märchen aus der neuen Zeit. Mit 13 Illustrationen von Karl Thylmann. Herausgegeben und mit einem Nachwort von Jochen Schmidt. it 570
– Lebensansichten des Katers Murr nebst fragmentarischer Biographie des Kapellmeisters Johannes Kreisler in zufälligen Makulaturblättern. Mit Illustrationen von Maximilian Liebenwein. Mit Anmerkungen. it 168
– Nachtstücke. Mit einem Nachwort von Lothar Pikulik und Illustrationen von Renate Sendler-Peters. it 589
– Nußknacker und Mausekönig. Mit farbigen Illustrationen von Monika Wurmdobler. it 879
– Der Sandmann. Mit Illustrationen von Hugo Steiner-Prag und einem Nachwort von Jochen Schmidt. it 934
Alexander von Humboldt: Über das Universum. Die Kosmos-Vorträge 1827/28 in der Berliner Singakademie. Herausgegeben von Jürgen Hamel und Klaus-Harro Tiemann. it 1540
Jean Paul: Flegeljahre. Eine Biographie. Mit einem Nachwort von Hermann Meyer. it 873
– Leben des vergnügten Schulmeisterlein Maria Wutz in Auenthal. Eine Art Idylle. Mit einem Nachwort von Peter Bichsel. it 1685
– Siebenkäs. Blumen-, Frucht- und Dornenstücke oder Ehestand, Tod und Hochzeit des Armenadvokaten F. St. Siebenkäs im Reichsmarktflecken Kuhschnappel. Mit einem Nachwort von Hermann Hesse. it 980
– Titan. Mit einem Nachwort von Ralph-Rainer Wuthenow. it 671
Gottfried Keller: Der grüne Heinrich. Erste Fassung. 2 Bde. Mit Zeichnungen Gottfried Kellers und seiner Freunde. it 335
– Die Leute von Seldwyla. Vollständige Ausgabe der Novellensammlung. Mit einem Nachwort von Gerhard Kaiser. it 958
– Romeo und Julia auf dem Dorfe. Mit einem Kommentar und einem Nachwort von Klaus Jeziorkowski. it 756
Heinrich von Kleist: Die Marquise von O... Mit Materialien und Bildern zu dem Film von Eric Rohmer und einem Aufsatz von Heinz Politzer. Herausgegeben von Werner Berthel. Übersetzungen aus dem Französischen von Werner Berthel. it 299
– Michael Kohlhaas. Aus einer alten Chronik. Mit einem Nachwort von Jochen Schmidt. it 1352
– Der zerbrochne Krug. Ein Lustspiel. it 171
August Klingemann: Nachtwachen von Bonaventura. Mit Illustrationen von Lovis Corinth. Herausgegeben und mit einem Nachwort versehen von Jost Schillemeit. it 89

161/6/3.95

Klassische deutsche Literatur
im insel taschenbuch

Johann C. Lavater: Von der Physiognomik und Hundert physiognomische Regeln. Herausgegeben und mit einem Nachwort von Karl Riha und Carsten Zelle. Mit zahlreichen Abbildungen. it 1366

Jakob Michael Reinhold Lenz: Werke und Briefe in drei Bänden. Herausgegeben von Sigrid Damm. it 1441-1443 (nur als Kassette lieferbar)

Band 1: Dramen. Übersetzungen. Herausgegeben von Sigrid Damm. it 1441 (vergriffen)

Band 2: Prosadichtungen, Übertragungen, Theoretische Schriften. Herausgegeben von Sigrid Damm. it 1442

Band 3: Gedichte und Briefe. Herausgegeben von Sigrid Damm. it 1443

Gotthold Ephraim Lessing: Dramen. Mit einem Nachwort herausgegeben von Kurt Wölfel. it 714

Georg Christoph Lichtenberg: Aphorismen. In einer Auswahl. Herausgegeben und mit einem Nachwort versehen von Kurt Batt. it 165

– Sudelbücher. Herausgegeben von Franz H. Mautner. Mit einem Nachwort, Anmerkungen zum Text, einer Konkordanz der Aphorismen-Nummern und einer Zeittafel. it 792

Liselotte von der Pfalz: Briefe. Herausgegeben und eingeleitet von Helmuth Kiesel. Mit zeitgenössischen Portraits. it 428

Märchen der Romantik. Mit zeitgenössischen Illustrationen. Herausgegeben von Maria Dessauer. it 285

Meister Eckhart: Das Buch der göttlichen Tröstung. Ins Neuhochdeutsche übertragen von Josef Quint. it 1005

Conrad Ferdinand Meyer: Jürg Jenatsch. Eine Bündnergeschichte. Mit einem Nachwort von Reto Hänny. it 862

Eduard Mörike: Die Historie von der schönen Lau. Mit Illustrationen von Moritz von Schwind und einem Nachwort von Traude Dienel. it 72

– Maler Nolten. Novelle in zwei Teilen. Erste Fassung. Mit zeitgenössischen Illustrationen und einem Nachwort von Wolfgang Vogelmann. it 404

– Mozart auf der Reise nach Prag. Eine Novelle. Mit Illustrationen von Hugo Steiner-Prag und einem Nachwort von Traude Dienel. it 376 und Großdruck. it 2320

– Eduard Mörikes schönste Erzählungen. Ausgewählt und mit einem Nachwort versehen von Hermann Hesse. Redaktion: Volker Michels. it 1290

Karl Philipp Moritz: Anton Reiser. Ein psychologischer Roman. Mit einem Nachwort von Max von Brück. it 433

161/7/3.95